D0474397

La malédiction

Éditions J'ai Lu

2982

COMITÉ FÉMININ LE ROYER

DAVID SELTZER

La malédiction

Ce roman a paru sous le titre original :
THE OMEN

Aux gens avisés de calculer le nombre de la Bête, car c'est le nombre d'un homme, et ce nombre est Six Cent Soixante-Six

Apocalypse (XIII, 18).

© David Seltzer, 1976
Pour la traduction française :
Presses de la Renaissance, 1976

Tout arriva en un millième de seconde. Un mouvement dans les galaxies, qui aurait dû s'effectuer en un temps infini, se produisit à la vitesse de la lumière.

A l'observatoire du cap Hattie, un jeune astronome en resta pétrifié sur son siège, atteignant un instant trop tard la caméra susceptible d'enregistrer ce phénomène : l'éclatement de trois constellations qui venait de donner naissance à une étoile noire et luisante. Des morceaux du Capricorne, du Cancer et du Lion s'étaient soudain détachés, puis rejoints avec une précision magnétique, pour se fondre en une masse bouillonnante de lave galactique. Celle-ci devint plus lumineuse et les constellations frémirent, ou peut-être était-ce seulement les mains de l'astronome qui tremblaient sur le télescope tandis qu'il tentait d'étouffer un cri de stupéfaction.

Il craignait d'être seul face à cet événement, mais en fait, il ne l'était pas. Car des entrailles de la terre surgit un son lointain. On aurait dit des voix humaines, ou quelque chose qui s'en approchait. Le bruit s'enfla jusqu'à former une cacophonie de pieuses lamentations, à mesure que la puissance de l'étoile grandissait. Sous terre et sur terre, les gens s'étaient rassemblés. Vingt mille spectateurs fascinés; ils joignaient les mains, inclinaient la tête, et leurs voix s'élevaient si fort qu'elles s'entendaient et se percevaient en tous lieux. C'était le son du mantra OM, montant jusqu'à l'infini céleste et résonnant au plus profond des entrailles de la terre.

C'était le sixième mois, le sixième jour, la sixième heure. Le moment précis prédit par l'Ancien Testament, où l'histoire de la terre devait changer. Les guerres, les troubles des derniers siècles n'avaient été que de simples répétitions, destinées à préparer l'humanité à son asservissement. On avait applaudi, sous César, lorsque les chrétiens étaient jetés aux lions, puis sous Hitler, quand les Juifs étaient réduits en déchets carbonisés. Aujourd'hui la démocratie s'étiolait, la drogue délabrait les cerveaux et, dans les quelques pays où la liberté de culte était encore permise, on proclamait bien haut que Dieu était mort. Du Laos au Liban, les frères s'entre-déchiraient, et les pères se battaient contre leurs propres enfants; les cars de ramassage scolaire et les places publiques étaient le théâtre d'attentats quotidiens dans le fracas grandissant des passions incontrôlées.

Ceux qui étudiaient la Bible avaient constaté, eux aussi, la réalisation de symboles bibliques. Sous la forme du Marché commun, le Saint Empire Romain réaffirmait sa puissance, et, de par la reconnaissance de l'Etat d'Israël, les Juifs étaient de retour en Terre Promise. A cela s'ajoutaient la faim dans le monde et la désintégration des structures économiques internationales, ce qui prouvait bien qu'il ne s'agissait pas d'un simple concours de circonstances. C'était véritablement une *conspiration.* L'Apocalypse avait tout prédit.

Tandis qu'au firmament l'éclat de l'étoile s'intensifiait, la mélopée s'enflait et sa puissance faisait résonner le noyau de la planète. Dans les ruines souterraines de l'ancienne cité de Meggido, le vieux Bugenhagen savait tout cela et pleurait; ses rouleaux de parchemin et ses tablettes étaient désormais inutiles. Et au-dessus de lui, sur le plateau désertique à l'est d'Israël, l'équipe de nuit des étudiants en archéologie s'arrêta de travailler : ils laissèrent tomber silencieusement les tamis tandis que le sol, sous leurs pieds, se mettait à trembler.

Dans son siège de première classe à bord du 747 qui assurait la liaison Washington-Rome, Robert Thorn sentit aussi quelque chose d'anormal, et d'un geste routinier il boucla sa ceinture, se demandant avec anxiété ce qui l'attendait au sol. Même s'il avait connu la raison de cette soudaine turbulence, il eût été trop tard. Car, à ce moment précis, au sous-sol de l'Ospedale Generale de Rome, une pierre venait d'écraser la tête de l'enfant qui devait être le sien.

1

A tout instant, plus de cent mille personnes sont en avion quelque part dans le ciel. Voilà le genre de statistique qui intriguait Thorn et, lorsqu'il la lut dans la revue *Skyliner,* il partagea aussitôt l'espèce humaine en deux catégories : celle qui vivait sur terre et celle qui se trouvait dans les airs. Habituellement, il s'adonnait à des passe-temps moins futiles, mais, au cours de ce vol-là, il s'accrochait à la moindre bagatelle capable de lui faire oublier le destin plein d'incertitudes vers lequel il se dirigeait . En fait, cette statistique signifiait que, si la population terrestre était anéantie d'un seul coup, il resterait dans les airs plus de cent mille personnes, sirotant du whisky, regardant des films sans se douter de l'ampleur du drame.

Tandis que l'avion fendait lentement le ciel maussade au-dessus de Rome, il se demandait quel pouvait être le nombre exact d'hommes et de femmes se trouvant dans les airs en même temps que lui et, à supposer qu'ils atterrissent dans un havre sûr, comment ils seraient capables de reconstruire une société. La plupart de ces individus étaient sans doute de sexe masculin, cadres moyens ou supérieurs, ce qui signifiait qu'ils possédaient des connaissances à peu près inutilisables s'ils retournaient sur une terre où tous les ouvriers auraient disparu. Directeurs sans personnel, comptables sans bilan à établir. Ce serait peut-être une bonne idée de garder en permanence dans les airs une réserve de mécaniciens et d'ouvriers du bâtiment pour qu'il y ait toujours un potentiel de force physique capable de recommencer tout à zéro. N'était-ce pas Mao Tsé-toung qui avait dit que le pays ayant les meilleurs travailleurs manuels serait celui qui survivrait le mieux à un génocide?

Les pompes hydrauliques du train d'atterrissage chuintèrent sous ses pieds; Thorn éteignit sa cigarette et fixa des yeux les lumières à peine visibles au sol. Avec le nombre de voyages qu'il avait effectués ces derniers mois, cette vision lui était devenue familière, mais ce soir elle l'emplissait d'anxiété. Le télégramme qu'il avait reçu à Washington datait de douze heures, et maintenant, quoi qu'il ait pu arriver, tout était accompli. Il trouverait Katherine enfin comblée, berçant leur nouveau-né, ou bien totalement désespérée de l'avoir perdu une fois de plus. Contrairement aux deux autres grossesses qui n'avaient duré que quelques mois, celle-ci était allée presque jusqu'à terme. Et si par malheur quelque chose n'allait pas cette fois-ci, il savait que Katherine serait perdue.

Robert et Katherine étaient amis d'enfance. Depuis toujours, il connaissait son caractère instable. Elle avait constamment besoin de protecteur. L'unité de leur couple reposait essentiellement sur cette base, mais ces dernières années, Robert, étant de plus en plus pris par ses obligations professionnelles, s'occupait moins d'elle, si bien qu'elle se sentait abandonnée et livrée à elle-même, incapable de faire face aux devoirs incombant à l'épouse d'un homme politique.

Le premier signe de son désarroi était passé presque inaperçu. Thorn avait éprouvé plus de colère que d'inquiétude lorsque, rentrant un soir, il avait découvert qu'elle s'était massacré les cheveux avec une paire de ciseaux. Elle porta une perruque jusqu'à ce qu'ils repoussent, mais un an plus tard, il la trouva dans la salle de bains en train de s'entailler le bout des doigts avec une lame de rasoir, épouvantée elle-même de son acte et incapable d'en dire la raison.

C'est alors qu'ils firent appel à un psychiatre qui se bornait à rester assis sans dire mot pendant toute la consultation. Elle cessa d'aller chez lui au bout d'un mois et décida que tout ce dont elle avait besoin était un enfant.

Elle fut enceinte presque immédiatement et les trois premiers mois de cette grossesse furent les moments les plus merveilleux qu'ils aient connus. Katherine s'épanouissait et se portait si bien qu'elle put accompagner son mari en Extrême-Orient. La grossesse se termina dans les toilettes d'un avion où elle vit en pleurant l'eau bleutée emporter ses espérances.

Il fallut attendre deux longues années pour que Katherine fût de nouveau enceinte.

Le gynécologue avait déterminé l'instant propice de son cycle ovarien.

Pendant cinq mois et demi, l'espoir revint. Puis elle éprouva des douleurs alors qu'elle était dans un supermarché : Katherine continua courageusement à faire ses emplettes, feignant d'ignorer ces premiers symptômes, jusqu'à ce qu'il lui fût impossible de se donner le change plus longtemps. Cette fausse couche était une vraie chance, lui dit-on, car le fœtus présentait des malformations. Mais cela ne fit qu'ajouter à son désespoir, et elle sombra dans une dépression qui dura six mois. On en était maintenant à la troisième grossesse et Thorn savait que ce serait la dernière. Si un malheur arrivait, Katherine deviendrait folle.

L'avion effleura la piste et quelques passagers applaudirent, prouvant ainsi leur joie de se retrouver sains et saufs. Pourquoi prend-on l'avion? se demanda Thorn. La vie a-t-elle si peu de valeur? Il resta assis tandis que les autres, s'emparant de leurs bagages à main, se bousculaient vers la porte. Il aurait droit aux égards dus aux personnages de marque, passerait la douane sans problème et partirait rapidement dans la voiture qui l'attendait. C'était ce qu'il y avait de plus agréable dans son retour à Rome car, là, il était un V.I.P. En tant que conseiller de la Maison-Blanche, il présidait la Conférence économique mondiale qui, prévue initialement pour quatre semaines, durait depuis presque six mois. Pendant tout ce temps, les paparazzi avaient fait de lui une de leurs cibles; le bruit courait même que d'ici quelques années il pourrait bien être candidat à la présidence des Etats-Unis.

A quarante-deux ans, il était dans la force de l'âge et sa carrière avait été soigneusement programmée. Sa nomination à la présidence de la Conférence économique l'avait révélé au public et lui servirait de tremplin pour une ambassade, un ministère, puis, probablement, un siège au Sénat. Qu'il ait jadis partagé sa chambre d'étudiant avec l'actuel président des Etats-Unis ne l'avait certes pas desservi mais, en fait, Thorn ne devait sa réussite qu'à ses propres mérites.

Les usines d'armement qui appartenaient à sa famille avaient pris une fabuleuse extension pendant la guerre, et sa jeunesse avait été celle d'un milliardaire. Mais à la mort de son père, il avait fermé les usines, jurant à son conseil d'administration que jamais plus il ne produirait des engins de mort. Toute guerre est fratricide, a dit Adelaï Stevenson. Thorn se plaisait à le répéter. Dès lors, la fortune de Thorn se multiplia, mais au service de la paix. Il fit construire des logements sur les terrains qu'il possédait, s'employa à améliorer les ghettos et accorda de petits prêts aux nécessiteux. Il savait faire fructifier l'argent et se sentait solidaire des gens qui ne possédaient rien. Cela faisait de lui une personnalité unique en son genre. D'après certaines estimations, sa fortune personnellc se montait à près de cent millions de dollars, mais en vérité Thorn lui-même n'aurait su la chiffrer avec exactitude : pour compter, il faut s'arrêter, et Robert Thorn était perpétuellement en action.

Lorsque le taxi s'arrêta devant la sombre façade de l'Ospedale Generale, le père Spilletto, de la fenêtre de son bureau situé au second étage, vit Robert Thorn sortir de voiture et le reconnut immédiatement. Les photos parues dans les journaux lui avaient rendu familières les tempes grisonnantes, la mâchoire volontaire, et même la façon de s'habiller et la démarche de Thorn. C'était tout à fait le personnage qu'il fallait. On avait bien choisi. Ajustant sa soutane, le prêtre se redressa et sa silhouette massive fit paraître encore plus petit le bureau de bois devant lequel il se trouvait; puis, le visage dénué d'expression, il se dirigea vers la porte. En bas, on entendait déjà résonner les pas de Thorn.

— Mr Thorn?

Dans la pénombre, Thorn se retourna, le cherchant du regard.

— Oui?

— Je suis le père Spilletto, je vous ai envoyé...

— Oui, j'ai reçu votre télégramme, je suis parti le plus vite possible.

Le prêtre passa dans un rai de lumière et commença à descendre l'escalier. Quelque chose dans son attitude, dans le silence qui l'entourait, laissait présager un incident fâcheux.

— L'enfant... est-il né? demanda Thorn.

— Oui.

— Ma femme?...

— Elle se repose...

Le prêtre était maintenant au bas de l'escalier et regardait Thorn avec compassion.

— Quelque chose ne va pas? demanda Thorn.

— L'enfant est mort.

Il se fit un silence angoissant qui parut gagner les corridors déserts. Thorn restait là, immobile, anéanti.

— Il n'a vécu qu'un instant, murmura le prêtre.

Thorn se dirigea à pas lourds vers un banc, s'assit pendant un temps qui parut interminable, inclina la tête et enfin se mit à pleurer.

Le prêtre attendit pour parler.

— Votre femme va bien, mais elle ne pourra jamais plus avoir d'enfant.

— Elle ne s'en remettra pas, dit Thorn.

— Vous pourriez en adopter un.

— Elle en voulait un à elle.

Le prêtre profita du silence qui suivit pour s'avancer de quelques pas; ses yeux étaient emplis de pitié. Seules quelques gouttelettes de sueur trahissaient sa tension nerveuse.

— Vous l'aimez beaucoup, dit-il.

Thorn acquiesça d'un signe de tête, incapable d'articuler un mot.

— Alors, vous devez accepter la volonté de Dieu.

Du couloir obscur sortit une vieille religieuse qui fit signe au prêtre de venir la rejoindre. Tous deux se mirent à chuchoter quelques instants en italien, puis elle disparut et le prêtre alla retrouver Thorn.

— Les voies de Dieu sont impénétrables, Mr Thorn.

Le prêtre, d'un geste de la main, demanda à Thorn de le suivre.

La maternité se trouvait au troisième étage. Pour y accéder, ils empruntèrent un petit escalier peu fréquenté et mal éclairé. L'odeur particulière aux nourrissons raviva la douleur de Thorn. Le prêtre s'arrêta près d'une paroi de verre et attentit que Thorn, qui s'était approché à pas hésitants, regardât ce qui se trouvait derrière la paroi. C'était un nouveau-né, beau comme un ange. Sous ses cheveux noirs ébouriffés, ses yeux bleus profondément enfoncés cherchaient instinctivement le regard de Thorn.

– C'est un enfant abandonné, dit le prêtre. Sa mère est morte... à la même heure que votre bébé.

Interdit, Thorn se tourna vers lui, alors qu'il poursuivait :

– Votre femme a besoin d'un enfant, cet enfant a besoin d'une mère.

Thorn, lentement, fit de la tête un signe de dénégation :

– Nous en voulions un qui soit bien à nous, dit-il.

– Si j'ose me permettre..., il ressemble beaucoup à...

Thorn regarda à nouveau l'enfant et s'aperçut que c'était vrai : il avait le même teint que Katherine et des traits semblables aux siens. La mâchoire était volontaire, il avait même, comme Thorn, une fossette au menton.

– La signora n'a pas besoin de savoir, poursuivit le prêtre, d'un ton pressant.

Comme Thorn se taisait, il prit de l'assurance. Les mains de Thorn s'étant mises à trembler, il les saisit comme pour le rassurer.

– Est-il... en bonne santé? demanda Thorn d'une voix qui trahissait son émotion.

– Absolument.

– A-t-il une famille?

– Aucune.

Les couloirs alentour étaient silencieux.

– Je suis le maître absolu ici, reprit le prêtre, personne ne saura rien.

Thorn détourna les yeux, déchiré par le doute :

– Pourrais-je voir... mon propre enfant? demanda-t-il.

– Qu'y gagneriez-vous? interrogea doucement le prêtre. Donnez plutôt votre amour à celui qui est vivant!

Et de l'autre côté de la paroi de verre, le nouveau-né tendit ses petits bras vers Thorn, comme s'il l'appelait.

– Pour l'amour de votre femme, signor, Dieu pardonnera cette supercherie; et aussi pour l'amour de cet enfant, qui sans vous sera seul au monde.

Il se tut, car il n'y avait rien de plus à ajouter.

– Ce soir, Mr Thorn, Dieu vous a donné un fils.

Dans le ciel, juste au-dessus d'eux, l'étoile noire atteignit le sommet de sa course, et soudain, dans un éclair violent, elle vola en éclats. Sur son lit d'hôpital, Katherine Thorn s'éveillait. Elle avait courageusement supporté les dix heures de travail, et elle était restée parfaitement consciente au moment de la délivrance, mais elle s'était évanouie avant de pouvoir contempler son enfant. Maintenant qu'elle revenait à elle, elle sentait la peur l'envahir. Elle tenta courageusement de se dominer en entendant des pas dans le couloir.

La porte s'ouvrit et elle vit son mari. Il tenait un enfant dans ses bras.

– Notre enfant, dit Thorn d'une voix tremblante d'émotion. Nous avons un fils.

Elle tendit les bras, prit le bébé et pleura de joie. En la regardant tendrement, Thorn remercia Dieu de lui avoir montré la voie qu'il devait suivre.

2

Malgré leur ascendance catholique, les Thorn n'étaient guère pratiquants. Katherine allait de temps à autre à l'église, notamment à Noël et à Pâques, par superstition plus que par conviction. Quant à Thorn, il ne pratiquait pas du tout et, contrairement à Katherine, n'attachait aucune importance au fait que leur fils Damien n'ait pas été baptisé. Aussitôt après sa naissance, ils avaient conduit le nouveau-né vers les fonts baptismaux, mais le bébé avait été pris d'une si folle terreur au seuil de la cathédrale qu'ils avaient renoncé à la cérémonie. Le prêtre les avait suivis sur le parvis en tenant de l'eau bénite au creux de ses mains. Il affirmait que si l'enfant n'était pas baptisé, jamais il ne pourrait entrer dans le Royaume de Dieu. Thorn, conscient de l'extrême frayeur de l'enfant, avait refusé la bénédiction. Pour apaiser les scrupules de Katherine, ils avaient improvisé un baptême à domicile, mais cela ne l'avait pas entièrement satisfaite, et elle s'était promis de faire tôt ou tard baptiser Damien selon les rites.

Par la suite, les Thorn furent pris dans un tel tourbillon mondain qu'ils en oublièrent complètement le baptême.

La Conférence économique terminée, ils étaient repartis pour Washington. Thorn avait repris ses activités à la Maison-Blanche. Les brillantes réceptions qu'ils donnèrent dans leur résidence secondaire de Mc Lean en Virginie défrayèrent la chronique mondaine, si bien que les Thorn devinrent familiers de tous les lecteurs des grands journaux du pays. Ils étaient photogéniques, ils étaient riches, ils étaient célèbres. Et, surtout, on les voyait souvent en compagnie du Président. Dans les milieux politiques, personne ne s'étonna lorsque Thorn fut nommé ambassadeur à Londres, poste clef où il pourrait donner toute sa mesure.

A Londres, les Thorn élurent domicile dans un manoir du XVIIe siècle, à Pereford. La vie devint idyllique, surtout pour Katherine. Elle pouvait à son gré se consacrer à son enfant chéri, ou jouer son rôle de maîtresse de maison accomplie et recevoir avec son mari de nombreuses personnalités du monde diplomatique. Maintenant qu'elle avait un enfant, elle se sentait vraiment comblée et s'épanouissait pleinement.

L'élégant manoir de Pereford avait jadis été le théâtre d'événements historiques. Le roi Henry V avait chassé le sanglier dans la forêt alentour, et un duc en exil s'était caché dans ses caves où il avait malheureusement été découvert puis exécuté... Il y avait des passages secrets et des souterrains pleins de courants d'air, mais la joie régnait car la maison était pleine d'invités et de rires à toute heure du jour.

Les Thorn avaient engagé, en plus du personnel journalier, un ménage qui vivait à demeure : les Horton. C'étaient des gens typiquement anglais. Lui était chauffeur, elle cuisinière. Lorsque Katherine était trop occupée par ses réceptions officielles, Chessa, une jeune Anglaise potelée, s'occupait de Damien comme s'il était son propre fils. Ils passaient d'interminables heures ensemble : Damien trottinant à sa suite sur la pelouse, ou s'asseyant sagement au bord du bassin où elle attrapait pour lui des têtards et des libellules.

En grandissant, l'enfant devenait si beau qu'il aurait pu servir de modèle à un peintre. A trois ans, ses traits avaient acquis la perfection que l'on pressentait déjà à sa naissance. Sa santé et sa force physique étaient aussi hors du commun. Toute son attitude reflétait un calme et une assurance impressionnants, très rares chez un enfant si jeune. Si l'intelligence peut se mesurer au degré d'attention, Damien était un génie. Il pouvait rester assis pendant des heures, sur un petit banc de fer sous un pommier, à regarder les gens aller et venir, notant chaque détail de ce qui se déroulait sous ses yeux. Horton, le chauffeur, l'emmenait parfois avec lui lorsqu'il faisait des courses; il aimait sa présence silencieuse à ses côtés et s'étonnait de voir avec quelle fascination Damien découvrait toute chose.

— On dirait un petit Martien que l'on nous aurait envoyé ici-bas pour étudier le comportement de la race humaine, fit un jour remarquer Horton à sa femme.

— Sa mère en est folle, répondit celle-ci, et je ne pense pas qu'elle aimerait t'entendre dire une chose pareille.

— Je ne dis rien de mal, simplement qu'il n'est pas comme tout le monde.

Le plus étrange était que Damien ne parlait presque pas. Il exprimait sa joie par un sourire qui creusait ses fossettes, sa tristesse par de grosses larmes silencieuses. Katherine en avait fait un jour la remarque à un pédiatre qui s'était montré très rassurant. Il lui avait raconté l'histoire d'un enfant qui n'avait parlé qu'à l'âge de huit ans, pour dire à sa mère qu'il n'aimait pas la purée de pommes de terre. La mère, éberluée, demanda à l'enfant pourquoi, puisqu'il savait parler, il ne l'avait pas fait plus tôt; l'enfant lui avait répondu que c'était parce qu'elle ne lui avait jamais encore servi de purée de pommes de terre. Katherine avait beaucoup ri et ne s'était plus tracassée pour Damien. Après tout, Albert Einstein n'avait parlé qu'à l'âge de quatre ans et Damien n'avait que trois ans et demi.

Cela mis à part, Damien était en tout point un enfant parfait, descendant idéal du couple exemplaire que formaient Robert et Katherine Thorn.

3

Haber Jennings était un paparazzo. Individu maussade et obstiné, c'était un de ces journalistes tolérés seulement parce qu'ils acceptent de faire ce qui répugne aux autres. On l'avait vu, tel un chat guettant une souris, attendre des jours entiers dans l'espoir de prendre une photo scandaleuse : Marcello Mastroianni assis sur le siège des toilettes, pris au téléobjectif du haut d'un eucalyptus; la Reine Mère à qui on enlevait ses cors aux pieds; Jackie Onassis, sur son yacht, en train de vomir : voilà le genre de clichés qu'il collectionnait. Il savait être là juste au bon moment et ses photos ne ressemblaient à aucune autre. Il vivait dans un studio de Chelsea, portait rarement des chaussettes, mais traquait ses sujets avec obstination.

Dernièrement, il s'était intéressé à l'ambassadeur des Etats-Unis, cible de tout premier ordre à cause de l'image parfaitement respectable qu'il représentait. Le beau couple avait-il une vie sexuelle? Il prétendait révéler ce qu'il appelait le *côté humain,* mais qui était en fait l'aspect sordide. Arrivait-il à l'ambassadeur d'acheter une revue pornographique et de se masturber? Entretenait-il des filles? Ce genre de questions le passionnait. Il n'attendait pas vraiment de réponse mais, poussé par cette curiosité, il guettait et attendait.

Aujourd'hui, il avait décidé de se rendre dans la propriété des Thorn, à Pereford, non pour prendre des photos car il y aurait un monde fou, juste pour repérer les lieux, connaître les domestiques, savoir s'ils étaient susceptibles de corruption.

Il se leva de bonne heure, vérifia ses appareils photo, essuya les objectifs, puis utilisa le même chiffon pour éponger le pus d'un furoncle qu'il venait de crever. Malgré ses trente-huit ans, il était encore affligé d'acné juvénile, ce qui était une raison supplémentaire pour se cacher derrière un appareil photo.

Avant de partir, il régla les minuteurs de sa chambre noire, puis fouilla dans un tas de paperasses pour y dénicher une invitation gravée : invitation au quatrième anniversaire du jeune Thorn. De tous les quartiers pauvres de Londres, des cars entiers de petits paralysés et d'orphelins roulaient déjà vers Pereford.

C'était reposant de conduire à travers la campagne anglaise, et Jennings alluma une cigarette de marijuana pour se détendre complètement. Au bout d'un moment, ce n'était plus la voiture qui roulait, mais la route qui ondulait sous elle, et la réalité avait perdu toute vraisemblance. Jennings retrouvait le monde de ses rêves dans lequel il était brillant, héroïque, aimé.

A un kilomètre de la propriété des Thorn, les agents orientaient les voitures des invités et vérifiaient leurs cartons. Ils se mirent à deux pour examiner le bristol de Jennings. Il était habitué à être traité de la sorte, vu son aspect minable. Cela faisait partie de sa façon de travailler : il pouvait d'autant mieux observer qu'on le tenait à l'écart.

Ayant enfin franchi les grandes grilles de fer forgé, Jennings battit des paupières pour tenter de s'arracher à ses fantasmes. Mais ce qu'il prenait pour un mirage était bel et bien la réalité. La propriété tout entière avait été transformée en un fabuleux parc d'attractions. Les petits invités couraient autour des tentes et des manèges; des marchands de berlingots et de barbe-à-papa tentateurs déambulaient dans les allées. De nombreux invités représentant le Tout-Londres faisaient la queue devant la tente d'une diseuse de bonne aventure. Des poneys Shetland couraient en liberté, et il y avait même un jeune éléphant qui mangeait des cacahuètes que lui offraient les enfants ravis. Les photographes couraient en tous sens, ne sachant où donner de la tête.

Mais pour Jennings, ce spectacle ne présentait rien d'intéressant.

– Qu'est-ce qui se passe, mon vieux? Tu n'as plus de film? demanda Hobie, l'envoyé du *News Herald*, en rechargeant fiévreusement son appareil à côté du stand de hot-dogs, pendant que Jennings se servait négligemment.

– J'attends qu'on le canonise, répondit ce dernier dédaigneusement.

– Que veux-tu dire?

– Je ne sais pas si nous sommes en présence de l'héritier des Thorn, ou de Jésus-Christ en personne.

– Tu es complètement cinglé de rater ça, mon vieux. Tu n'auras pas de sitôt une occasion pareille.

– Pourquoi m'en faire? Je pourrai t'acheter les photos si j'en ai besoin.

– Tu veux l'exclusivité, c'est ça!

– Exactement!

– Eh bien, bonne chance! C'est la famille la plus fermée de ce côté de Monaco.

L'exclusivité, voilà ce dont rêvait Jennings! Avoir ses petites entrées dans les derniers royaumes qui existaient encore. Si seulement il parvenait à y faire son trou d'une façon ou d'une autre; tout était là.

– Nounou! Nounou! cria Hobie au loin. Tournez la tête par ici.

Et l'attention de tous se centra sur un énorme gâteau d'anniversaire que l'on apportait sur un chariot. Chessa, la nurse, était déguisée en clown et sa bouche, outrageusement peinte en rouge, se détachait sur son visage poudré de blanc. Tous les photographes se pressaient autour d'elle, ce qui la ravissait : très à l'aise dans son personnage, elle étreignait l'enfant, l'embrassait, le barbouillait de son fard.

– Est-il capable de les souffler? hurlèrent-ils. Laissez-le essayer.

Les yeux de Jennings parcoururent lentement la foule et se fixèrent sur Katherine Thorn : un peu à l'écart, elle faisait une légère moue de désapprobation. Pendant une fraction de seconde, elle avait laissé tomber le masque; instinctivement, Jennings prit une photo. Autour du gâteau d'anniversaire, les applaudissements crépitaient, et un murmure de satisfaction s'éleva lorsque Katherine s'approcha.

– Révélez-lui son avenir! hurla un reporter. Emmenez-le chez la diseuse de bonne aventure!

Comme un seul homme, la foule se déplaça, entraînant la gouvernante et le chérubin à travers la pelouse.

– Je vais le prendre, dit Katherine, en les rejoignant.

– Je peux le faire, madame, répliqua sèchement la nurse.

– Je préfère le faire moi-même, répondit Katherine en souriant.

Et, au moment où leurs regards se croisèrent, Chessa rendit Damien. Nul ne remarqua cet instant, car les deux femmes étaient perdues dans le bruit et l'agitation. Seul Jennings les guettait à travers son objectif. Tandis que la foule continuait à avancer, la nurse resta seule. Avant que la jeune fille se détourne et se dirige vers la maison, Jennings prit deux clichés.

En arrivant près de la tente de la voyante, Katherine demanda sèchement aux reporters de rester dehors; puis elle entra et poussa un soupir de soulagement lorsqu'elle se retrouva dans une atmosphère tranquille et sombre.

– Bonjour, petit garçon!

Les mots de bienvenue sortaient de dessous un capuchon; assis derrière une petite table recouverte d'un drap vert, une espèce de fantôme au visage peint en vert s'efforçait d'imiter le ton caverneux d'une sorcière. Damien regarda fixement l'apparition, se raidit et se précipita dans les bras de sa mère, s'agrippant à elle de toutes ses forces.

– Voyons, Damien, dit Katherine en riant, c'est une gentille sorcière, n'est-ce pas?

– Naturellement! répondit la diseuse de bonne aventure en éclatant de rire. Je ne te ferai aucun mal.

– Elle va te prédire ton avenir, reprit Katherine tendrement.

– Allons! demanda la diseuse de bonne aventure. Montre-moi ta main.

Mais Damien refusa, se serrant encore plus fort contre sa mère. La prétendue sorcière releva alors son masque de caoutchouc, découvrant ainsi le visage souriant d'une jeune fille.

– Regarde! Je suis comme tout le monde, je ne te ferai aucun mal.

Damien se détendit. Katherine l'assit sur la table jonchée de cartes et il consentit à tendre la main.

– Oh! Quelle jolie petite main douce! Nous allons y lire un magnifique avenir.

Mais en regardant la main, elle s'arrêta, décontenancée.

– Fais-moi voir l'autre, dit-elle.

Damien tendit l'autre main et la jeune fille fixa les deux petites paumes avec perplexité.

— Agissez-vous toujours comme cela? s'enquit Katherine.

— Je n'ai jamais vu une chose pareille, répondit la jeune fille. Cela fait trois ans que je participe à des réunions d'enfants, et je n'ai jamais rien vu de semblable.

— Vu quoi?

— Regardez, il n'a aucune ligne dans la main. Il n'y a que des plis.

— Quoi?

Katherine se pencha sur les paumes de l'enfant.

— Cela me semble tout à fait normal, dit-elle.

— A-t-il été brûlé? demanda la jeune fille.

— Absolument pas!

— Regardez vos propres mains. Regardez toutes ces lignes, elles varient avec chaque individu. Ce sont les marques de votre identité.

Il se fit un silence pesant, l'enfant regardait ses mains en se demandant ce qu'elles avaient d'anormal.

— Regardez comme la peau du bout des doigts est lisse, reprit la jeune fille. Je crois qu'il n'a pas d'empreintes digitales.

Katherine les examina de plus près et s'aperçut qu'elle disait vrai.

— Eh bien! fit remarquer la jeune fille en éclatant de rire, s'il dévalise une banque, on n'arrivera jamais à l'identifier!

Elle se mit à rire de plus belle, tandis que Katherine, très troublée, regardait en silence les étranges petites mains.

— Pourriez-vous nous dire son avenir, s'il vous plaît, demanda-t-elle d'un ton inquiet. C'est pour cela que nous sommes venus.

— Naturellement.

Mais au moment où la jeune fille prenait la main de l'enfant, un cri fusa dehors. C'était Chessa, la gouvernante, qui hurlait au loin :

– Damien! Damien! Viens, j'ai une surprise pour toi.

La diseuse de bonne aventure s'arrêta. On percevait une sorte de désespoir dans la voix de Chessa. Emportant Damien dans ses bras, Katherine se précipita hors de la tente et leva les yeux vers la maison d'où avait retenti le cri. Chessa marchait en équilibre sur le toit, tenant une grosse corde. Elle leva joyeusement sa main pour bien montrer que l'extrémité du lien était passé autour de son cou. En dessous, la foule se tournait lentement et souriait dans l'attente de quelque événement extraordinaire. Le petit clown s'avançait toujours vers le bord du toit en tendant ses deux mains en avant, comme s'il se préparait à faire un plongeon dans une piscine.

– Regarde, Damien! cria Chessa. C'est pour toi que je fais cela!

Et d'un seul coup, elle sauta dans le vide. Son corps piqua vers le sol et eut un soubresaut quand il fut retenu par la corde, puis il se mit à pendre mollement. Silencieux. Mort.

Sur la pelouse, les gens stupéfiés fixaient en silence le cadavre qui se balançait doucement au rythme d'une valse égrenée par l'orgue de Barbarie du manège. Un hurlement retentit. C'était Katherine. Il fallut quatre personnes pour la faire taire et l'emmener dans la maison.

Seul dans sa chambre, Damien regarda longuement la pelouse désertée, où ne restaient plus que quelques marchands. Il ne proféra pas un seul mot lorsqu'il vit un policier monter à une échelle et couper la corde qui retenait le corps. Celui-ci échappa à la poigne de l'homme et tomba, la tête la première, sur les dalles du patio, où il resta recroquevillé, les yeux tournés vers le ciel, souriant tragiquement de sa bouche fardée.

Les jours qui précédèrent l'enterrement de Chessa furent sinistres; le ciel au-dessus de Pereford était gris et le tonnerre grondait continuellement. Katherine passait le plus clair de son temps seule, assise dans la salle de séjour, sans lumière, les yeux perdus dans le vague.

D'après le rapport du médecin légiste, il y avait une forte dose de bénadryl – un anti-histaminique puissant – dans le sang de la jeune fille. Mais cette découverte ne fit qu'augmenter la perplexité et la tristesse des Thorn, sans rien expliquer.

Pour éviter les reporters, Thorn se montra peu les jours suivants. Il entourait sa femnme d'attentions et de soins, de peur qu'elle ne retombe dans un état dépressif.

– Tu te laisses complètement anéantir par cette histoire, tu sais, lui dit-il un soir en rentrant. Chessa n'était tout de même pas un membre de la famille.

– Elle l'était, répliqua doucement Katherine. Elle m'avait dit qu'elle voulait rester chez nous toute sa vie.

Thorn hocha la tête, incapable de voir clair dans tout cela.

– Elle a dû changer d'avis, dit-il.

Il n'avait pas eu l'intention d'être méchant, mais ces mots résonnèrent durement et il sentit que Katherine le dévisageait avec étonnement.

– Je suis désolé, ajouta-t-il. J'ai horreur de te voir dans cet état.

– C'était de ma faute, Robert.

– Ta faute?

– Oui, à un moment donné pendant la réunion...

Thorn traversa la pièce, s'assit à côté d'elle et la regarda avec inquiétude.

– Elle monopolisait l'attention, poursuivit Katherine, et j'en étais jalouse. Je lui ai enlevé Damien parce que je ne pouvais pas le supporter davantage.

– Je crois que tu exagères un peu; cette fille avait l'esprit légèrement dérangé.

– Et moi aussi, répondit Katherine dans un souffle, si j'attache tant d'importance à être le clou de la fête!

Elle se tut. Il n'y avait rien d'autre à dire. Elle se blottit dans les bras de Thorn et il la garda contre lui jusqu'à ce qu'elle s'endorme. C'était le même sommeil qu'elle avait autrefois lorsqu'elle prenait du libium, et il se demanda si la mort de Chessa ne l'avait pas poussée à en reprendre. Il resta là, immobile, pendant près d'une heure, puis il la souleva et la porta dans sa chambre.

Le lendemain matin, Katherine emmena Damien à l'enterrement de Chessa. La cérémonie eut lieu dans l'intimité et se déroula dans un petit cimetière à l'extérieur de Londres. Hormis la famille de la jeune fille, il n'y avait que Katherine, Damien et un prêtre. Craignant la publicité que l'on ne manquerait pas de faire s'il assistait à l'enterrement, Thorn avait refusé de s'y rendre et avait même conseillé à Katherine d'agir de même. Mais elle avait aimé la jeune fille et ressentait le besoin de l'accompagner jusqu'à sa dernière demeure.

Plusieurs journalistes faisaient les cent pas devant le cimetière, car deux Marines, détachés à la dernière minute du personnel de l'ambassade, montaient la garde et les empêchaient d'entrer. Vêtu d'un imperméable noir et chaussé de grandes bottes, Haber Jennings passait tout à fait inaperçu au milieu d'eux. Il alla se poster sous un arbre et observa le déroulement de la cérémonie au travers d'un téléobjectif. Ce n'était pas un téléobjectif ordinaire, mais un énorme appareil, monté sur un trépied, avec lequel Jennings aurait pu sans aucun doute photographier deux mouches en train de s'accoupler sur la lune. Avec une précision méticuleuse, le téléobjectif allait d'un visage à l'autre : la famille pleurait; Katherine était très bouleversée; l'enfant, à côté d'elle, s'agitait, parcourant des yeux chaque tombe l'une après l'autre.

C'était lui qui concentrait l'attention de Jennings et il attendait l'instant propice pour appuyer sur le déclic. Ce moment arriva, l'enfant cligna des yeux, changea brusquement d'expression comme s'il avait été effrayé, puis se calma aussi vite. Les yeux fixés sur un point à l'autre extrémité du cimetière, il se détendait et semblait se réchauffer malgré cette pluie fine et froide. Tournant son appareil vers l'endroit où regardait l'enfant, Jennings fouilla le paysage, mais il ne put rien discerner d'autre que les pierres tombales. Soudain, quelque chose bougea. Quelque chose de noir et d'informe dont l'image se mettait lentement au point à mesure que Jennings réglait l'ouverture du diaphragme. C'était un animal. Un énorme chien noir, avec une tête pointue, de petits yeux très rapprochés, et une mâchoire inférieure proéminente découvrant des crocs énormes, dont la blancheur se détachait sur la fourrure sombre. Personne ne l'avait remarqué. Il était assis, immobile, telle une statue, et regardait fixement devant lui.

Jennings se maudit d'avoir chargé son appareil en noir et blanc car l'éclat jaune des yeux de l'animal ajoutait à l'atmosphère étrange de la scène. Il ouvrit au maximum le diaphragme pour qu'ils ressortent sur les clichés, puis tourna l'appareil vers l'enfant, et sans rien modifier à son cadrage, le prit également en photo.

Cette matinée justifiait amplement toute la peine qu'il s'était donnée. En rangeant son matériel, Jennings se sentait satisfait, sans pouvoir toutefois se défendre d'un certain malaise. Parvenu au sommet de la colline, il se retourna : dans le cimetière, on descendait le cercueil dans la tombe. L'enfant et le chien paraissaient tout petits dans le lointain, et pourtant leur complicité était évidente.

Le lendemain, la pluie redoubla d'intensité et Mrs Baylock arriva. Cette Irlandaise entra avec grand fracas par la porte principale de Pereford et fit annoncer qu'elle était la nouvelle gouvernante. Le portier avait bien tenté de l'empêcher de passer, mais elle l'avait écarté d'un geste; son sans-gêne avait à la fois intimidé et séduit le brave homme.

– Je sais que vous traversez un moment pénible, annonça-t-elle aux Thorn en retirant son manteau, aussi je m'en voudrais d'ajouter encore à votre chagrin. Mais, entre nous, ceux qui prennent une maigrichonne pareille comme gouvernante courent après les ennuis.

Abasourdis, Thorn et Katherine ne surent que dire devant tant d'assurance.

– Savez-vous à quoi on reconnaît une bonne gouvernante? leur demanda-t-elle en riant. A l'ampleur de sa poitrine. Ces petites jeunes filles qui ont des œufs sur le plat ne durent pas une semaine.

Elle s'arrêta, le temps de ramasser une valise :

– Bon, alors où est l'enfant?

– Je vais aller le chercher, dit Katherine en se dirigeant vers l'escalier.

– Pourquoi ne nous laissez-vous pas seuls, afin que nous fassions connaissance à notre manière?

– Il est un peu timide avec les nouveaux venus.

– Oh, avec moi il ne le sera pas, je vous le garantis.

– Je crois vraiment...

– Sottises! Laissez-moi faire.

L'instant d'après, elle gravissait les escaliers et son gros derrière disparaissait sur le palier. Les Thorn échangèrent un regard. Robert hocha la tête, comme s'il approuvait la conduite de la grosse femme.

— Elle m'est assez sympathique, dit-il.
— A moi aussi.
— Où l'as-tu trouvée?
— Où *je* l'ai trouvée? demanda Katherine.
— Oui.
— Je ne l'ai pas trouvée, je pensais que c'était *toi*.
Thorn se leva et appela :
— Mrs Baylock?
— Oui?
Elle était déjà sur le palier du second, et se pencha par-dessus la rampe.
— Je suis désolé, il y a quelque chose que nous ne comprenons pas très bien.
— Quoi donc?
— Nous ne comprenons pas comment vous êtes venue ici.
— En taxi! Je l'ai renvoyé.
— Non, non, je veux dire... Qui vous a contactée?
— L'agence.
— L'agence?
— Ils ont vu dans le journal que vous aviez perdu votre gouvernante, alors ils vous en ont envoyé une autre.
Le procédé était un peu cavalier, mais Thorn savait combien il était difficile de trouver un travail à Londres. Aussi pensa-t-il que Mrs Baylock disait la vérité.
— Très efficace, remarqua-t-il.
— Puis-je passer un coup de fil pour m'en assurer? demanda Katherine.
— Allez-y, répliqua Mrs Baylock! Voulez-vous que j'attende dehors?
— Non, non! s'empressa de répondre Thorn.
— Trouvez-vous que j'ai l'air d'une espionne?
— Je ne le pense pas, dit Thorn en étouffant un rire.
— N'en soyez pas si sûr, répliqua la grosse femme. Ma gaine est peut-être bourrée de magnéto-

phones. Pourquoi ne demandez-vous pas à un jeune Marine de le vérifier?

Ils éclatèrent tous trois de rire, et Mrs Baylock plus fort encore que Thorn et Katherine.

– Entendu, on vérifiera ça plus tard, ajouta Thorn.

Les Thorn se retirèrent au salon. Katherine téléphona à l'agence qui lui confirma l'authenticité des certificats de Mrs Baylock. Elle était hautement qualifiée et avait d'excellentes références. Une seule chose était étonnante : l'employé lisait sur ses fiches que Mrs Baylock avait actuellement une place à Rome; elle avait dû changer d'emploi sans que l'on ait encore pu le noter, et on verrait à faire le nécessaire dès que le directeur de l'agence, qui sans nul doute l'avait envoyée aux Thorn, reviendrait de vacances. Katherine raccrocha, regarda son mari, et tous deux haussèrent les épaules, plutôt contents de ce qu'ils venaient d'apprendre : Mrs Baylock était un drôle de numéro, mais elle était pleine de vie; et après tout, c'était cela qu'ils recherchaient.

A peine arrivée dans la chambre de Damien, l'expression de Mrs Baylock changea du tout au tout : son sourire s'effaça et c'est avec des yeux pleins de larmes qu'elle contempla l'enfant endormi. Il avait dû rester longtemps le menton appuyé sur la fenêtre, à regarder la pluie tomber, et c'était dans cette attitude qu'il s'était endormi, sa petite main frôlant encore la vitre. La femme le regardait intensément, et son visage était bouleversé. L'enfant perçut sa respiration haletante : il ouvrit les yeux, la regarda, se raidit et s'assit bien droit en appuyant son dos à la vitre.

– N'aie pas peur, petit, dit-elle d'une voix tremblante. Je suis là pour te protéger.

Dehors, un coup de tonnerre retentit, et la pluie ne cessa plus de tomber pendant quinze jours.

4

La campagne anglaise était couverte de fleurs, en ce mois de juillet. Le printemps et le début de l'été avaient été si pluvieux que les affluents de la Tamise avaient débordé et fait germer toutes les graines, même les plus tardives. Aux alentours de Pereford, les prairies et les pelouses étaient vertes et luxuriantes; le bois, derrière le jardin, devenu touffu et dense, abritait tout un peuple de petits animaux. Horton craignait que les lapins ne viennent manger ses tulipes et il se mit à poser des collets; au plus profond de la nuit on pouvait entendre les cris perçants des malheureux qui se faisaient prendre au piège. Un jour pourtant, Horton cessa ce genre de chasse, non seulement parce que Katherine le lui avait demandé, mais aussi parce qu'il ressentait une impression de malaise lorsqu'il entrait dans le bois pour relever ses collets. Il sentait des « yeux » fixés sur lui, disait-il, comme si on l'épiait de derrière les fourrés. Quand il raconta cela à sa femme, elle lui éclata de rire au nez et lui dit qu'il s'agissait sans doute du fantôme du roi Henry V. Mais cela n'amusa pas du tout Horton et dès lors il refusa absolument de mettre les pieds dans la forêt.

Il fut donc extrêmement choqué de constater que Mrs Baylock allait s'y promener avec Damien de plus en plus souvent. Il se demandait ce qu'ils pouvaient bien faire ainsi tous les deux pendant des heures dans les taillis. Un jour qu'il aidait sa femme à trier le linge pour la lessive, Horton remarqua aussi que les vêtements de Damien étaient couverts de poils noirs, comme s'il avait joué avec un animal.

Ce n'était là qu'un détail à ajouter à la liste des incidents troublants qui se multipliaient au manoir.

D'abord, Katherine passait de moins en moins de temps avec son fils et était, en quelque sorte, remplacée auprès de lui par cette nouvelle gouvernante, débordante de vie. Il fallait bien admettre que Mrs Baylock était très dévouée à l'enfant et que celui-ci avait l'air de l'aimer; mais il était anormal, et même inquiétant, que le petit garçon préfère sa compagnie à celle de sa propre mère. Tout le personnel l'avait remarqué. On jasait et on se sentait peiné pour Katherine qui manifestement était évincée dans l'affection de son enfant par une employée. Tous se mirent à souhaiter le départ de Mrs Baylock. Mais elle prenait chaque jour plus d'importance dans la maison, et exerçait de plus en plus d'influence sur ses employeurs.

Katherine éprouvait le même malaise, mais elle ne savait que faire. Elle avait décidé de ne plus se montrer jalouse envers quiconque témoignerait de l'affection à son enfant. Elle se trouvait coupable d'avoir déjà enlevé à Damien une compagne qu'il aimait et répugnait à l'idée de recommencer. Lorsque, au bout de quinze jours, Mrs Baylock demanda la permission de s'installer dans la chambre juste en face de celle de Damien, Katherine accepta. Peut-être les choses se passaient-elles ainsi dans le grand monde. Katherine, elle, avait été élevée dans un milieu plus modeste où c'était le rôle de la mère d'entourer et de protéger son enfant. La vie était très différente ici : elle était à la tête d'une maison importante, et peut-être était-il temps de s'adapter à son milieu.

Comme elle jouissait de plus de liberté, elle se lança dans des activités en rapport avec sa situation de femme d'ambassadeur, ce que son mari approuva chaudement. Le matin, elle s'occupait d'œuvres charitables et l'après-midi, elle se rendait à des thés où il était de bon ton d'aller. La femme de Thorn était devenue une lionne pleine d'énergie et de confiance en elle, et Robert ne l'avait jamais vue aussi dynamique. Même sa façon de faire l'amour avait changé : elle était devenue plus provocante, plus passionnée. C'était, bien sûr, la femme qu'il avait toujours rêvé d'avoir, mais ce changement brutal était un peu inquiétant.

Le travail de Thorn l'absorbait complètement : il occupait à Londres un poste clef qui l'amena notamment à négocier lors de la crise du pétrole, et la Maison-Blanche comptait de plus en plus sur les renseignements qu'il tirait de ses rencontres avec les émirs des pays pétroliers. Il devait se rendre en Arabie Saoudite quelques semaines plus tard, et décida de ne pas emmener Katherine. Il craignait que les Arabes ne comprennent pas qu'il se fasse accompagner de son épouse lors d'un voyage d'affaires.

– Je ne comprends vraiment pas, dit Katherine quand il la prévint.

– C'est une coutume, répondit Thorn. Je vais chez eux, je dois la respecter.

– Ne doivent-ils pas respecter tes coutumes, eux aussi?

– Bien sûr que si!

– Eh bien, je fais partie de ta coutume!

– Katherine!

– Je les ais vus, ces émirs, j'ai vu les femmes qu'ils achètent! Où qu'ils aillent, ils sont suivis par des putains. Est-ce cela qu'ils veulent que tu fasses, toi aussi?

– Franchement, je n'en sais rien.

Il était tard et ils allaient se mettre au lit : ce n'était vraiment pas le moment d'entamer une discussion.

– Que veux-tu dire? demanda doucement Katherine.

– C'est un voyage important.
– Donc s'ils veulent que tu couches avec une putain...
– S'ils veulent que je couche avec leur eunuque, je coucherai avec leur eunuque. Te rends-tu compte de ce qui est en jeu là-bas?
Il y eut un silence, puis Katherine retrouva lentement sa voix :
– Et moi dans tout cela? demanda-t-elle calmement.
– Tu restes ici. Ce que tu fais a autant d'importance.
– Ne prends pas tes airs protecteurs.
– J'essaie de te faire comprendre...
– Que tu peux sauver le monde en faisant ce qu'ils veulent.
– C'est un peu cela.
Elle lui lança un regard dont jamais il ne l'aurait crue capable, plein de dureté et de haine, et il en fut déconcerté.
– Je crois que nous sommes tous des putains, dit-elle. Tu es la leur, je suis la tienne. Alors, allons nous coucher.
Il s'attarda dans la salle de bains, espérant qu'elle serait endormie quand il sortirait. Mais non, elle était éveillée et l'attendait. Il perçut une odeur de parfum dans l'air. Il s'assit sur le lit et la regarda; elle lui sourit.
– Je suis désolée; je comprends maintenant.
Elle lui prit le visage entre les mains, l'attira à elle et le serra très fort dans ses bras. Sa respiration se fit plus rapide; il commença à lui faire l'amour, mais elle resta parfaitement inerte.
– Va, insista-t-elle. Continue, ne t'arrête pas.
Et ils firent l'amour comme jamais ils ne l'avaient fait. Katherine n'esquissait pas un mouvement mais refusait de le laisser s'en aller; elle l'encourageait

simplement de la voix. Quand ce fut terminé, elle desserra son étreinte, et en se retirant il lui jeta un regard perplexe et déçu.

– Va sauver le monde maintenant, murmura-t-elle, va faire ce qu'ils te demandent.

Cette nuit-là, Robert ne dormit pas. Il s'assit près de la porte-fenêtre de leur chambre et contempla le parc éclairé par la lune. Rien ne bougeait dans le bois où tout semblait dormir. Cependant, Thorn avait l'impression que quelque chose l'épiait. On gardait en permanence une paire de jumelles sous la véranda pour observer les oiseaux. Thorn alla la chercher. Tout d'abord, il ne vit que du noir, puis il aperçut les yeux : deux charbons ardents qui étincelaient dans le clair de lune, deux yeux jaunes très rapprochés, qui fixaient la maison. Il frémit, abaissa ses jumelles et rentra dans la pièce. Il resta là, immobile pendant plusieurs minutes, puis il se força à bouger. Pieds nus, il descendit le grand escalier, atteignit la porte d'entrée et sortit doucement. Tout était silencieux, même les grillons s'étaient tus. Comme attiré par une force invisible, il se dirigea vers la lisière de la forêt : là, il s'arrêta et observa longuement. Il n'y avait rien, pas un bruit. Les deux yeux jaunes avaient disparu. En repartant, il mit le pied sur quelque chose d'humide; il sursauta, et fit un brusque pas de côté. C'était le cadavre d'un lapin encore chaud, gisant dans une mare de sang; on lui avait arraché la tête.

Le lendemain, Thorn se leva de bonne heure et demanda à Horton s'il posait encore des pièges pour les lapins. Comme ce dernier lui affirmait le contraire, il l'emmena à l'endroit où gisait l'animal. Un essaim de mouches s'envola lorsque Horton se baissa pour examiner la dépouille.

– Qu'en pensez-vous? demanda Thorn. Y a-t-il des prédateurs par ici?

— Je ne sais pas, mais ça m'étonnerait.

D'une main il souleva la bête déjà raide, et désigna de l'autre l'endroit de la blessure, accompagnant son geste d'une moue dédaigneuse.

— La tête est généralement ce qu'ils laissent, non ce qu'ils prennent. Celui qui a tué ce lapin l'a fait pour s'amuser.

Thorn recommanda à Horton de se débarrasser du cadavre et de n'en souffler mot à personne. En partant, Horton s'arrêta brusquement :

— Je n'aime pas beaucoup cette forêt, monsieur, et cela ne me plaît guère que Mrs Baylock y emmène votre fils.

— Dites-lui de ne plus le faire, répondit Thorn. Il y a bien assez de place sur la pelouse.

L'après-midi même, Horton transmit le message. A cette occasion Thorn se rendit compte, pour la première fois, que quelque chose n'allait pas dans la maison. Mrs Baylock vint le trouver dans la soirée et lui exprima son indignation de recevoir des ordres d'un domestique.

— Je veux bien obéir, dit-elle furibonde, mais à vous seulement.

— Je ne vois pas quelle différence cela fait, répliqua Thorn surpris de voir les yeux de la femme flamboyer de colère.

— C'est toute la différence entre une grande maison et une maison ordinaire, Mr Thorn. J'ai l'impression que personne ne commande ici.

Sur ce, faisant volte-face, elle le laissa seul, et il se demanda ce qu'elle voulait dire.

C'est Katherine qui s'occupait de tous les problèmes domestiques. Evidemment, il était parti toute la journée. Peut-être Mrs Baylock avait-elle tenté de lui faire comprendre que les choses n'allaient pas aussi bien qu'il le croyait, que Katherine, en fait, n'était pas à la hauteur de sa tâche.

Dans son minuscule studio sous les toits de Chelsea, Haber Jennings examinait les photos des Thorn, épinglées sur les murs de sa chambre noire. Il y avait des photos de l'enterrement, noires et lugubres, le gros plan du chien parmi les pierres tombales et le gros plan de l'enfant. Puis, il y avait les photos de l'anniversaire : Katherine regardant la gouvernante, la gouvernante déguisée en clown, toute seule. C'était cette dernière photo qui l'intéressait le plus, car au-dessus de la tête de la jeune fille, on voyait une espèce de tache et ce défaut accentuait encore l'effet lugubre du cliché. C'était un défaut de la pellicule, un vague brouillard qui planait au-dessus de la gouvernante, formant une auréole autour de sa tête et de son cou. En général, il déchirait les photos floues, mais celle-ci valait la peine d'être gardée. Ce qui s'était passé juste après conférait à la tache une allure de symbole : c'était un peu l'ombre du destin. Le dernier cliché représentait le corps sans vie, suspendu à une corde : vision d'un réalisme brutal. Dans l'ensemble, la collection des photos des Thorn ressemblait à une étude sur la mort. Et cela enchantait Jennings. Grâce à un correspondant qu'il avait en Amérique, il avait aussi commencé à faire des recherches sur le passé des Thorn afin d'en savoir un peu plus long sur eux.

Il découvrit ainsi que Katherine venait d'une famille russe immigrée et que son père s'était suicidé. D'après un vieux numéro du *Minneapolis Times*, il s'était jeté du toit d'un immeuble, en plein centre de Minneapolis. Katherine était née un mois après, et à peine un an plus tard sa mère s'était remariée et s'était établie dans le New Hampshire. Son nouveau mari avait donné son nom à l'enfant. Au cours de quelques interviews que Katherine avait accordées, elle n'avait jamais fait allusion à son beau-père. Jennings se demandait même si elle savait la vérité. Ce n'était pas très important, mais d'une certaine manière, cela fournissait un atout à Jennings : un délicieux encouragement qui renforçait son impression d'être sur une piste intéressante.

Un seul cliché manquait encore : celui de l'ambassadeur lui-même, et Jennings comptait bien en prendre un le lendemain. Un grand mariage devait avoir lieu à l'église de la Toussaint et il était plus que probable que les Thorn y assisteraient. Ce n'était pas le genre de cérémonie dont raffolait Jennings, mais comme il avait eu de la chance jusqu'ici, peut-être en aurait-il jusqu'au bout.

Le veille du mariage, Thorn se dispensa d'aller à l'ambassade comme chaque samedi, et préféra emmener Katherine à la campagne. Il avait été très troublé par leur différend et par la curieuse façon dont elle avait fait l'amour. Aussi désirait-il être seul avec elle pour tâcher de savoir ce qui n'allait pas. Apparemment, cette décision semblait judicieuse, car, pour la première fois depuis des mois, Katherine se détendait, ravie de la balade, contente de pouvoir tout simplement lui tenir la main tandis qu'ils roulaient tranquillement dans la campagne. A midi, ils atteignirent Stratford-sur-Avon et ils assistèrent à une représentation du *Roi Lear*. Katherine prit une telle part à la pièce qu'elle fut émue aux larmes. Le monologue de Lear sur la mort de son enfant : « Pourquoi un chien, un rat respirent-ils... Et Toi tu ne respires plus... » la bouleversa tant qu'elle pleura sans retenue. Longtemps après que les spectateurs eurent quitté leurs sièges, Thorn la consolait encore dans le silence du théâtre désert.

Ils remontèrent en voiture et repartirent; Katherine tenait étroitement serrée dans les siennes la main de son mari. Le fait de s'être laissée aller à son émotion avait ramené entre eux une intimité qu'ils n'avaient pas connue depuis longtemps. Elle était extrêmement tendue maintenant et, tandis qu'ils s'arrêtaient près d'un ruisseau, elle se remit à pleurer. Elle confia à Thorn sa peur de perdre Damien. Elle disait que si jamais il arrivait quelque chose à l'enfant, elle n'aurait pas la force de le supporter.

— Tu ne le perdras pas, Kathy, lui assura doucement Thorn. La vie ne peut être d'une telle cruauté.

Il y a bien longtemps qu'il ne l'avait pas appelée Kathy, et cela lui fit mesurer combien ils avaient été éloignés l'un de l'autre au cours de ces derniers mois. Ils s'assirent dans l'herbe sous un énorme chêne et, tout en contemplant l'eau du ruisseau, Katherine murmura :

— J'ai si peur.

— Il n'y a rien à craindre.

— Pourtant, j'ai peur de tout.

Un insecte rampait à côté d'elle et elle le regarda se frayer un chemin dans l'herbe.

— Que crains-tu, Katherine?

— Que n'ai-je pas à craindre?

Il la regarda attentivement et attendit qu'elle s'explique.

— J'ai peur du bonheur qui nous arrive, parce que cela ne va pas durer. J'ai peur du malheur parce que je suis trop faible pour y faire face. J'ai peur que tu réussisses et j'ai peur que tu échoues. Et j'ai peur de ne pouvoir faire grand-chose dans l'un ou l'autre cas. J'ai peur que tu deviennes président des Etats-Unis, Robert... et de ne pas être à la hauteur.

— Tu t'es très bien débrouillée jusqu'ici, lui assura-t-il.

— Mais cela m'a assommée.

C'était si simple de l'avouer et, pourtant elle ne l'avait jamais fait auparavant. Ils en furent tous deux soulagés.

– Cela ne te choque pas? demanda-t-elle.

– Si, un peu.

– Tu sais ce que je souhaite le plus pour nous deux, Robert?

De la tête, il fit signe que non.

– J'aimerais que nous retournions chez nous, en Amérique.

Il s'étendit dans l'herbe, les yeux perdus dans le feuillage.

– C'est mon vœu le plus cher, Robert. Retourner là où nous sommes en sûreté, là d'où je viens.

Ils gardèrent longtemps le silence; elle s'étendit près de lui, la tête sur son épaule.

– Je suis en sûreté ici, dans tes bras, murmura-t-elle.

Elle ferma les yeux et un sourire désenchanté erra sur ses lèvres :

– Nous sommes au New Jersey, n'est-ce pas? poursuivit-elle dans un souffle. N'est-ce pas notre petite ferme là-haut sur la colline? Celle où nous avons pris notre retraite?

– C'est une grosse montagne, Kathy.

– Je sais, je sais, et nous n'arriverons jamais au sommet.

Une brise légère s'éleva, et ils restèrent à contempler en silence la lumière qui jouait dans les feuilles au-dessus d'eux.

– Peut-être Damien y parviendra-t-il, murmura Thorn, peut-être est-il un jeune fermier en herbe.

– Cela m'étonnerait; il te ressemble en tout.

Thorn n'eut aucune réaction et garda les yeux fixés sur les feuilles.

– Vraiment, tu sais, reprit Katherine, on dirait qu'il n'a absolument rien de moi.

Thorn se souleva et vit l'expression de tristesse de sa femme.

– Pourquoi dis-tu cela? demanda-t-il.

Elle haussa les épaules, ne sachant pas très bien comment s'expliquer.

– C'est un drôle de petit bonhomme. Il n'a jamais l'air d'avoir besoin de quiconque.

– C'est une apparence.

– Il ne m'aime pas comme un enfant aime sa mère. Etais-tu attaché à ta mère?

– Oui.

– Es-tu attaché à ta femme?

– Tu sais, Kathy, dit-il tout bas après un long moment de silence, quand je t'ai vue pour la première fois, j'ai pensé que tu étais la plus belle femme que j'aie jamais rencontrée. Je le pense toujours, Kathy. Je t'assure.

– Je t'aime, murmura-t-elle.

– Je t'aime aussi.

Quand ils rentrèrent à Pereford ce soir-là, tout le monde dormait. Ils firent un grand feu dans l'âtre, se servirent du vin et se blottirent l'un contre l'autre dans le vaste divan de cuir.

Le lendemain matin, le soleil brillait. A 9 heures, Thorn, fin prêt pour le mariage, descendit gaiement les escaliers.

– Kathy, appela-t-il.

– Je ne suis pas encore prête, répondit-elle de là-haut.

– Nous allons être en retard.

– C'est vrai.

– Ils risquent de nous attendre. Fais un effort.

– Je me dépêche.

– Damien est-il prêt?

– Je l'espère.

– Je ne veux pas être en retard.

– Demande à Mrs Horton de nous faire du pain grillé.

– Je ne veux pas de pain grillé.

– Mais moi, j'en veux.

— Dépêche-toi.

Dehors, Horton avait déjà avancé la voiture; Thorn sortit et lui fit signe d'attendre, puis il entra rapidement dans la cuisine.

Tout en nouant la ceinture de sa robe blanche, Katherine sortit précipitamment de sa chambre et se dirigea vers celle de Damien en appelant :

— Tu viens, Damien? Nous sommes prêts!

Elle entra dans la chambre de l'enfant, étonnée de ne le voir nulle part. Entendant l'eau couler dans la baignoire elle se précipita dans la salle de bains. Là, elle resta médusée : Damien jouait tranquillement dans l'eau pendant que Mrs Baylock le savonnait.

— Mrs Baylock, se lamenta Katherine, je vous avais dit de l'habiller et de le préparer à sortir.

— Si cela ne vous fait rien, madame, je crois qu'il vaudrait mieux qu'il aille se promener dans le parc.

— Je vous avais dit que nous l'emmenions à l'église!

— Ce serait dommage de l'enfermer par une si belle journée.

— Ecoutez, je suis désolée, reprit Katherine calmement, mais nous désirons l'emmener à l'église.

— Il est trop jeune pour aller à l'église. Il ne fera que des bêtises.

Katherine perdit patience de voir cette femme la contrer ouvertement avec tant de calme.

— Vous n'avez pas l'air de comprendre, dit-elle d'un ton ferme. Je veux qu'il vienne avec nous à l'église.

Mrs Baylock se raidit, comme offensée par le ton sur lequel lui parlait Katherine. L'enfant, impressionné, se rapprocha de sa gouvernante qui, encore à genoux sur le sol, défiait sa mère.

— A-t-il déjà été à l'église? demanda Mrs Baylock.

— Je ne vois pas ce que cela a à faire...

— Kathy? appela Thorn d'en bas.

– Une minute, répondit-elle.

Elle fixa durement Mrs Baylock, et celle-ci soutint calmement son regard.

– Habillez-le tout de suite, ordonna Katherine.

– Excusez-moi de vous dire ce que je pense, mais croyez-vous vraiment qu'un enfant de quatre ans puisse comprendre le charabia que l'on débite au cours d'un mariage catholique?

Katherine en eut le souffle coupé :

– Je suis catholique, Mrs Baylock, et mon mari aussi.

– Je me doute bien qu'il faut que quelqu'un le soit, rétorqua Mrs Baylock.

Katherine, abasourdie, restait là, pétrifiée, scandalisée par une telle impudence.

– Vous allez habiller mon fils, dit-elle sèchement, et qu'il soit dans la voiture dans cinq minutes, ou vous pouvez chercher une autre place.

– C'est peut-être ce que je vais faire, en effet.

– Choisissez.

– J'y penserai.

– J'espère bien.

Katherine tourna les talons et s'apprêta à partir.

– A propos de l'église?... dit Mrs Baylock.

– Eh bien?

– Vous vous repentirez de l'avoir emmené.

Katherine quitta la pièce; cinq minutes après, Damien apparut, habillé de pied en cap.

Des travaux sur la route créaient d'énormes embouteillages.

– Quelque chose ne va pas? demanda Thorn frappé de l'expression de Katherine.

– Pas vraiment.

– Tu as l'air fâché.

– Pas vraiment.

– C'est à propos de quoi?
– Oh, rien de grave.
– Allez, dis-le!
– Mrs Baylock, répondit Katherine en soupirant.
– Qu'a-t-elle fait?
– Nous avons eu des mots.
– A propos de quoi?
– Elle voulait emmener Damien dans le parc.
– Qu'y a-t-il de mal là-dedans?
– Au lieu d'aller à l'église.
– Je dois dire que je suis assez de son avis.
– Elle a fait tout ce qu'elle a pu pour l'empêcher de venir.
– Elle se sent probablement seule sans lui.
– Je ne pense pas que ce soit bon.
Thorn haussa les épaules et s'intéressa aux travaux de la route tandis qu'ils avançaient au pas.
– Ne pouvons-nous sortir de là, Horton? demanda-t-il.
– Non, monsieur, répondit Horton, mais si vous permettez, j'aimerais vous dire deux mots sur Mrs Baylock.
Thorn et Katherine échangèrent un coup d'œil, surpris de la demande de Horton.
– Dites! ordonna Thorn.
– Je ne peux pas parler devant le petit.
Katherine regarda Damien; il jouait avec les lacets de ses chaussures neuves et ne semblait pas du tout s'intéresser à la conversation.
– Oh, cela ne fait rien, dit Katherine.
– Je crois qu'elle a une mauvaise influence, reprit Horton, elle ne se plie absolument pas aux règles de la maison.
– Quelles règles? demanda Thorn.
– Je ne voudrais pas entrer dans les détails.
– Mais si, dites!

— Eh bien, par exemple, il est convenu que les domestiques prennent leurs repas tous ensemble et chacun fait la vaisselle à tour de rôle.

Thorn regarda Katherine. Manifestement, il n'y avait rien de bien grave.

— Elle ne mange jamais avec nous, poursuivit Horton, elle descend quand tout le monde a fini et prend son repas toute seule.

— Je vois, dit Thorn en feignant de prendre la chose à cœur.

— Et elle laisse sa vaisselle à laver à la femme de ménage qui vient le matin.

— Je pense que nous pouvons lui demander de ne plus le faire.

— Ensuite, il est entendu que le personnel ne doit pas sortir de la maison une fois que les lumières sont éteintes. Pourtant, je l'ai vue à plusieurs reprises sortir dans la forêt bien avant l'aube. Il faisait encore nuit et elle prenait soin de marcher tout doucement pour que personne ne l'entende.

Les Thorn réfléchissaient, tous deux fort perplexes.

— Cela semble bizarre, marmonna Thorn.

— Je vais peut-être vous paraître grossier, et vous m'excuserez de vous en parler, poursuivit Horton, mais nous avons remarqué qu'elle n'utilisait pas le papier de la salle de bains, vous savez, celui des toilettes? Nous n'avons pas changé le rouleau une seule fois depuis qu'elle est arrivée.

Sur la banquette arrière, les Thorn se regardèrent une fois de plus : cette histoire devenait tout de même étrange.

— Donc, d'après moi, elle va dans la forêt. C'est sûr. Ce ne sont pas des manières de gens civilisés, si vous voulez mon avis.

Ils roulèrent en silence pendant un moment. Les Thorn étaient de plus en plus embarrassés.

– Une chose encore, monsieur, une autre chose qui n'est pas bien du tout.

– De quoi s'agit-il, Horton? demanda Thorn.

– Elle se sert du téléphone et appelle quelqu'un à Rome.

Débarrassé de ce qu'il avait à dire, Horton prêta de nouveau attention à la route, réussit à sortir des embouteillages et se mit à rouler plus vite. Katherine et Robert réfléchissaient.

– Elle m'a ouvertement tenu tête aujourd'hui, remarqua Katherine.

– Tu veux la renvoyer?

– Je ne sais pas. Et toi, qu'en penses-tu?

Thorn haussa les épaules :

– Damien a l'air d'être heureux avec elle.

– Je sais bien.

– C'est important.

– Bien sûr, soupira Katherine.

– Renvoie-la cependant, si tu veux.

Katherine se tut un instant et regarda par la portière.

– Elle partira peut-être d'elle-même.

Assis entre eux deux, Damien fixait le plancher, et pendant tout le voyage il ne releva pas une fois les yeux.

L'église de la Toussaint était un édifice gigantesque, de style indéfinissable. L'intérieur était illuminé nuit et jour et les grandes portes perpétuellement ouvertes. Ce matin-là, le parvis était couvert de fleurs et des garçons d'honneur en jaquette formaient une haie très solennelle. Une foule compacte était venue assister à ce grand mariage. Une fois de plus, l'envie de voir de près quelques célébrités attirait des gens de toutes classes et de tous partis politiques. Les spectateurs s'agglutinaient au point que le cordon de sécurité commençait à être débordé.

Les voitures attendaient en file, afin de laisser descendre leurs passagers juste devant l'église.

La voiture des Thorn arriva parmi les dernières. Les forces de police étaient moins denses à cet endroit et les gens s'amassèrent autour d'eux. Damien, qui s'était endormi pendant le trajet, se réveilla et sursauta à la vue de tous ces inconnus les dévisageant. Katherine le prit dans ses bras et s'efforça de regarder ailleurs; mais autour de la voiture, la cohue grandissait. Soudain, un être anormal, vraisemblablement mongolien, pressa son visage hideux contre la vitre, et se mit à frapper au carreau.

– Seigneur! dit Katherine horrifiée. Que se passe-t-il?

– C'est complètement bloqué sur toute la file, répondit Horton.

– Ne pouvez-vous sortir de là? demanda-t-elle.

– Il y a des voitures devant et derrière nous, pare-chocs contre pare-chocs.

L'idiot martelait toujours la vitre en riant. Les gens autour de lui s'amusaient à le voir faire. Bientôt ils l'imitèrent et tambourinèrent en cadence sur toute la carrosserie.

– Ne peut-on vraiment pas partir d'ici? supplia Katherine.

Damien voyant sa mère effrayée se mit à avoir peur aussi.

– Ce n'est rien... ce n'est rien du tout, dit Thorn pour calmer l'enfant. Ces gens ne nous feront aucun mal, ils veulent seulement voir ce qui se passe à l'intérieur de l'auto.

Mais l'enfant était terrorisé : non pas par les badauds, mais par les flèches de l'église qu'il fixait intensément.

– Il n'y a pas de quoi avoir peur, Damien, dit Thorn. Nous allons juste à un mariage.

Pourtant l'enfant avait de plus en plus peur et son

petit visage se tordait d'effroi à mesure qu'ils avançaient, lentement mais sûrement, vers l'église.

— Damien...

Thorn fit signe à Katherine de regarder l'enfant. Il était paralysé, tout son être tendu. Pourtant la foule était maintenant moins dense et l'on apercevait enfin la cathédrale.

— Tout va bien, Damien, murmura Katherine, les gens sont partis.

Mais l'enfant ne se calmait pas, les yeux toujours fixés sur l'église.

— Que lui arrive-t-il? demanda Thorn.

— Je ne sais pas.

— Qu'y a-t-il, Damien?

— Il est terrorisé.

Katherine lui donna la main, il s'y agrippa et regarda sa mère d'un air désemparé.

— C'est une église, mon chéri, insista Katherine.

Le petit garçon avait de plus en plus peur : il se mit à haleter, le visage livide, les lèvres sèches.

— Seigneur! murmura Katherine affolée.

— Est-il malade?

— Il est glacé.

Enfin, la voiture s'arrêta devant l'église et on ouvrit la porte. Un garçon d'honneur tendit la main à Damien pour l'aider à sortir. Au comble de la terreur, Damien s'agrippa de toutes ses forces à la robe de sa mère et se mit à hurler.

— Damien! cria Katherine. Damien!

Elle essayait de lui faire lâcher prise, mais lui s'agrippait encore plus fort.

— Robert! cria Katherine, il déchire ma robe!

Thorn essaya d'attraper l'enfant. Mais Damien se débattait pour ne pas lâcher sa mère, et dans son désespoir, il lui griffa le visage et s'agrippa à ses cheveux.

— Au secours! hurla Katherine.

– Damien! Lâche! ordonna Thorn – mais l'enfant ne voulait rien entendre.

Les hurlements de Damien avaient attiré la foule de curieux. Horton bondit de son siège et se porta au secours des Thorn. Mais l'enfant était devenu fou furieux; telle une bête féroce, il hurlait en labourant le visage de sa mère avec ses ongles et lui arrachait les cheveux à pleines mains.

– Emmenez-le! hurla-t-elle.

Complètement terrifiée, elle commença à le frapper essayant de tordre les petits doigts qui s'enfonçaient dans ses yeux. Enfin, Thorn réussit à faire lâcher prise à l'enfant, il l'empoigna et l'immobilisa en lui plaquant les bras le long du corps.

– Allons-y, dit-il en haletant à Horton. Vite, partons d'ici!

Horton se précipita sur son siège, claqua les portières, et démarra à toute allure.

– Mon Dieu... Mon Dieu, sanglotait Katherine en cachant son visage dans ses mains.

A mesure que la voiture s'éloignait de l'église, l'enfant cessa peu à peu de se débattre, et, complètement épuisé, s'assoupit. Horton se dirigea vers la grand-route et, quelques instants plus tard, le silence régnait dans l'auto. Damien avait les yeux vides et le visage couvert de transpiration; Thorn le tenait toujours serré contre lui. A côté de lui, Katherine, complètement décoiffée, un œil tuméfié, était dans un état de choc. Ils se turent jusqu'à la maison, nul n'osait prononcer un mot.

Arrivés à Pereford, ils conduisirent Damien dans sa chambre et s'assirent à côté de lui. Honteux de sa conduite, l'enfant n'osait les regarder. Katherine lui tâta le front : il ne semblait pas avoir de fièvre. Ils ne jugèrent donc pas utile d'appeler un médecin.

– Je vais m'occuper de lui, dit tranquillement Mrs Baylock en entrant dans la pièce.

Damien se retourna et dès qu'il la vit, il parut complètement rassuré.

– Il a eu peur, dit Katherine à la grosse femme.

– Il n'aime pas l'église, répliqua celle-ci. Il voulait aller dans le parc.

– Il est devenu... fou, dit Thorn.

– Il était furieux, répondit Mrs Baylock.

Elle s'avança vers Damien, le prit dans ses bras et il s'agrippa à elle comme un enfant à sa mère. Les Thorn contemplèrent la scène en silence, puis quittèrent lentement la pièce.

– Quelque chose m'inquiète, dit Horton à sa femme.

Il faisait nuit maintenant et ils bavardaient dans la cuisine. Il venait de lui raconter les événements de la journée et elle l'avait écouté sans l'interrompre.

– Quelque chose m'inquiète à propos de cette Mrs Baylock, répéta-t-il. Et à propos de ce gosse, et de cette maison tout entière.

– Tu t'en fais beaucoup trop, répliqua-t-elle.

– Si tu l'avais vu, tu comprendrais.

– C'était une colère d'enfant, voilà tout.

– Une colère d'animal.

– Il est très emporté.

– Depuis quand?

Elle hocha la tête pour mettre fin à la discussion et continua d'éplucher ses légumes.

– As-tu déjà regardé ses yeux? demanda Horton. Ils sont semblables à ceux d'un animal. Ils te surveillent, ils te guettent. Ils savent quelque chose que tu ignores. Ils sont d'un autre monde.

– Sottises! murmura-t-elle tout en coupant ses légumes.

– Attends un peu, tu verras! lui affirma Horton. Il arrivera un malheur.

– Il arrive des malheurs partout.

– Je n'aime pas ça, dit-il d'un air sombre. Je crois que nous ferions mieux de partir.

Pendant ce temps, les Thorn se reposaient dans le patio. Damien dormait. Tout était calme dans la maison. La chaîne haute fidélité diffusait doucement un programme de musique classique qu'ils écoutaient sans parler. Katherine tamponnait méthodiquement son visage, enflé et contusionné, avec un linge trempé dans de l'eau tièdc. Ils n'avaient rien dit depuis les événements de l'après-midi, mais chacun se sentait réconforté par la présence de l'autre. Ils éprouvaient au fond d'eux-mêmes une crainte atroce, la plus douloureuse qui soit pour des parents : pour la première fois, ils pressentaient que leur enfant n'était pas normal. Mais ils n'osaient pas encore se l'avouer.

Katherine tâta l'eau du bol; la trouvant trop froide, elle tordit le linge et le posa à côté du récipient. Son geste tira Thorn de sa méditation :

– Es-tu sûre qu'il ne faut pas appeler un médecin? demanda-t-il.

Elle fit non de la tête.

– Ce ne sont que des égratignures.

– Je veux dire... pour Damien, reprit Thorn.

Elle haussa les épaules, hésitante.

– Que lui dirions-nous? murmura-t-elle.

– Nous n'avons rien besoin de dire... Simplement lui demander qu'il l'examine.

– On vient de lui faire un examen complet le mois dernier. Il va parfaitement bien et n'a jamais rien eu.

Thorn hocha la tête.

– Il n'a jamais été maladc? remarqua-t-il d'un ton singulier.

– Non.

– C'est étrange, non?

– Tu trouves?

– Il me semble.

Le ton bizarre dont il parlait attira l'attention de Katherine. Elle attendit qu'il s'explique...

– Je veux dire... pas de rougeole, d'oreillons... ou de varicelle. Pas même un nez qui coule, une toux ou un simple rhume.

– Et alors? demanda-t-elle sur la défensive.

– Je pense que ce n'est pas tout à fait normal.

– Nos deux familles ont une bonne santé.

Thorn sentit son cœur se serrer. Le secret était toujours là : au fin fond de lui-même. Il ne l'avait jamais révélé pendant toutes ces années, et jusqu'ici les événements lui avaient donné raison : bien sûr, il se sentait coupable d'avoir menti, mais le bonheur qu'avait engendré cette dissimulation justifiait pleinement son acte. Quand tout allait bien, il était facile de se taire. Mais maintenant que les choses avaient l'air de mal tourner, Thorn se sentait responsable.

– S'il y avait eu dans ta famille ou dans la mienne des cas de folie ou de désordre mental, reprit Katherine, alors, je m'inquiéterais de ce qui est arrivé aujourd'hui.

Il la regarda, puis détourna les yeux.

– J'y ai beaucoup réfléchi, poursuivit-elle, et je suis sûre que tout va bien. Damien est un beau petit garçon, robuste et en bonne santé comme ses ancêtres.

Incapable de soutenir son regard, Thorn acquiesça.

– Il a eu peur, c'est tout, ajouta Katherine. Ce sont des choses qui arrivent.

Thorn, fatigué, approuva de nouveau. Il avait envie de tout avouer, de s'ouvrir enfin à elle. Mais c'était trop tard, il se taisait depuis trop longtemps! Katherine le haïrait maintenant, peut-être même haïrait-elle l'enfant. Il ne fallait pas qu'elle sache, jamais.

— J'ai pensé à Mrs Baylock, dit Katherine.

— Et alors?

— Je crois qu'il faut la garder.

— Elle a été très gentille aujourd'hui, répondit Thorn très calmement.

— Damien a des angoisses; c'est peut-être parce qu'il nous a entendus parler d'elle dans la voiture.

— Sûrement, répliqua Thorn.

Cette explication était vraisemblable. Ils avaient cru que l'enfant n'écoutait pas, mais en fait il avait tout compris et, à l'idée de perdre sa gouvernante, il avait été épouvanté.

— Sûrement, répéta Thorn, une note d'espoir dans la voix.

— J'aimerais lui confier d'autres tâches, dit Katherine, pour la sortir un peu de la maison pendant la journée. Peut-être pourrais-je la charger de faire les courses l'après-midi, et pendant ce temps-là, je pourrais m'occuper de Damien.

— Qui fait les courses actuellement?

— Mrs Horton.

— Je crois que c'est une bonne idée.

Pendant un moment, il se sentit rassuré, puis il s'aperçut que Katherine pleurait. Cela le bouleversa mais il resta figé sur son siège, incapable de la consoler.

— Tu as raison, Kathy, dit-il. Damien a dû nous entendre quand nous parlions de flanquer Mrs Baylock à la porte. C'est aussi simple que cela.

— Je l'espère, répondit-elle d'une voix tremblante. Bien. La seule chose à faire après une mauvaise journée, c'est de terminer le plus vite possible. Je vais me coucher.

— Je reste encore un peu et je te rejoins.

Katherine s'éloigna, laissant Robert à ses méditations.

Il regardait vers la forêt, mais il pensait à l'hôpital de Rome; il se vit debout devant la vitre, acceptant de prendre cet enfant. Pourquoi n'avait-il pas demandé plus de renseignements sur la mère? Qui était-elle? D'où venait-elle? Qui donc était le père et où était-il? Tout au long de ces dernières années, il s'était demandé qui pouvaient bien être les parents de Damien. L'enfant devait être illégitime, c'est pourquoi on l'avait abandonné. Quelle importance tout cela avait-il, après tout? L'enfant était superbe, plein de vie, et en parfaite santé.

Thorn n'avait pas l'habitude de douter de lui-même; il luttait de toutes ses forces pour se persuader qu'il avait bien fait d'agir ainsi. Et pourtant, se pouvait-il qu'il ait commis une erreur dont les conséquences se faisaient maintenant sentir?

Ces questions resteraient à jamais sans réponses. Seules quelques rares personnes connaissaient la vérité : la sœur Theresa, le père Spilletto et le père Brennan. Eux savaient. Ils avaient travaillé en silence, émus et fiers d'avoir été choisis. Au cours de la longue histoire de la Terre, on avait essayé deux fois déjà, et cette fois-ci, il ne fallait pas échouer. Cela dépendait d'eux trois, d'eux seuls. Tout s'était déroulé avec une précision parfaite et personne n'avait rien su. Après la naissance, sœur Theresa avait pris soin de l'imposteur : elle avait épilé ses bras et son front, l'avait poudré abondamment pour qu'il soit présentable au moment où Thorn arriverait. Il avait beaucoup de poils sur la tête, comme ils le souhaitaient, et la sœur les avait gonflés au séchoir, après avoir vérifié qu'il portait bien la marque de naissance au bas du crâne. Thorn ne devait jamais voir sœur Theresa ni le père Brennan qui, au sous-sol, se hâtaient de mettre deux cadavres dans des caisses. Le premier corps était celui du petit Thorn, assassiné avant d'avoir pu proférer un cri; le second était celui d'un animal, la véritable mère du survivant. Dehors, stationnait une camionnette prête à emporter son chargement funèbre à Cerveteri où des fossoyeurs attendaient dans le cimetière de Sant' Angelo.

Spilletto, chargé de mener à bien ce complot diabolique, avait choisi ses complices avec le plus grand soin. Il était satisfait de sœur Theresa, mais, dans les derniers temps, Brennan l'avait vivement inquiété. Le père était certes animé d'une foi profonde, mais sa foi était faite de crainte. Brennan voulait à tout prix prouver qu'il était à la hauteur de sa tâche. Il avait perdu de vue la signification de ce qu'ils devaient accomplir, et ne se préoccupait plus que de son propre rôle. L'excès d'amour-propre l'avait rendu inquiet et Spilletto avait bien failli le destituer de ses fonctions. Si l'un d'entre eux commettait une erreur, ils seraient tenus tous trois pour responsables. Et, ce qui était plus grave, aucune autre tentative ne pourrait être faite avant mille ans.

Pourtant, le moment venu, Brennan avait exécuté sa tâche avec compétence et intelligence; il avait même fait face à un incident que nul n'avait prévu. L'enfant n'était pas encore mort et poussa un faible cri au moment où l'on chargeait sa caisse sur le camion. Aussitôt, Brennan l'avait remporté au sous-sol de l'hôpital, et avait achevé le bébé. Cela avait été pénible, très pénible. Mais il l'avait fait.

A l'hôpital, cette nuit-là, tout s'était déroulé normalement. Les médecins et les infirmières avaient vaqué à leurs occupations habituelles et ne s'étaient pas doutés un instant de ce qui se passait.

Assis dans le patio, Thorn contemplait la forêt et se rendait compte qu'elle ne lui était plus hostile. Il n'avait plus l'impression, comme avant, d'être surveillé. Tout était paisible maintenant, et on entendait les grenouilles et les grillons. Thorn imagina le visage de Damien paisiblement endormi. Il eut envie de jouir de ce spectacle pour terminer agréablement cette journée éprouvante; il se leva donc, éteignit la dernière lampe et pénétra dans la maison silencieuse.

Il faisait nuit noire à l'intérieur. Thorn se dirigea vers l'escalier. Là, il chercha à tâtons l'interrupteur et, ne le trouvant pas, monta tout doucement les marches qui menaient au premier étage. L'obscurité était totale; parvenu sur le palier, il entendit la respiration de quelqu'un qui dormait et il s'efforça de marcher sans bruit; toujours à tâtons, il arriva à l'endroit où le mur faisait un angle droit. Au bout du palier, juste devant lui, il aperçut un rai de lumière qui filtrait sous la porte de la chambre de Damien. Soudain, il s'immobilisa, car il lui avait semblé entendre un bruit : une sorte de vibration, comme un grondement sourd, qui s'arrêta avant qu'il puisse l'identifier. Puis plus rien. Thorn s'apprêtait à reprendre sa marche lorsque le bruit se fit à nouveau entendre, plus fort cette fois. Et tout à coup, il vit les yeux. Dans un sursaut de peur, il s'aplatit contre le mur : le grognement s'amplifia à mesure que se détachait dans l'obscurité la forme d'un chien qui montait la garde devant la porte de l'enfant.

Le souffle coupé, pétrifié par le grondement menaçant de l'animal et par l'éclat de ses yeux flamboyants, Thorn était incapable de faire un mouvement.

– Couché... murmura Thorn d'une voix haletante, voyant que l'animal s'apprêtait à bondir.

– Tais-toi! ordonna Mrs Baylock en sortant de la chambre. C'est le maître de maison.

Le chien se tut. Mrs Baylock appuya sur un interrupteur et le hall fut aussitôt inondé de lumière, tandis que Thorn, ahuri, regardait fixement le molosse.

– Qu'est-ce que c'est? demanda-t-il en retrouvant péniblement sa voix.

– Quoi donc? dit Mrs Baylock.

– Ce chien.

– Un berger, je crois. Il est splendide, n'est-ce pas? Nous l'avons trouvé dans la forêt.

La bête se coucha à ses pieds, parfaitement tranquille.

– Qui vous a permis?...

– Je pensais que nous pourrions l'utiliser comme chien de garde, le petit en est fou.

Thorn, encore mal remis de sa frayeur, se tenait immobile contre le mur et Mrs Baylock ne put cacher son amusement :

– Il vous a fait peur, n'est-ce pas?

– Oui.

– Vous voyez qu'il est bon gardien. Croyez-moi, vous serez content de le savoir ici quand vous serez parti.

– Parti?

– En voyage. N'allez-vous pas bientôt en Arabie Saoudite?

– Comment savez-vous que je vais en Arabie Saoudite?

Elle haussa les épaules :

– J'ignorais que c'était un secret.

– Je n'en ai parlé à personne ici.

– C'est Mrs Horton qui me l'a dit.

Thorn hocha la tête et regarda à nouveau la bête :

– Il ne gênera personne, assura la femme, nous le nourrirons avec les restes.

— Je n'en veux pas ici, dit Thorn sèchement.
Elle manifesta une certaine surprise :
— Vous n'aimez pas les chiens?
— Le jour où je déciderai d'avoir un chien, je le choisirai moi-même.
— Le petit s'y est attaché, monsieur, et je crois qu'il a besoin de cet animal.
— C'est à moi de décider s'il a ou non besoin d'un chien.
— Les enfants peuvent toujours compter sur les animaux, monsieur.
Elle lui jeta un regard plein de sous-entendus.
— Que voulez-vous dire?
— Rien, monsieur, rien du tout.
— Si vous avez quelque chose à dire, Mrs Baylock, dites-le franchement.
— C'est inutile, monsieur, vous avez suffisamment de soucis.
— Je vous dis que je préfère savoir.
— Eh bien, le petit semble un peu seul.
— Comment cela?
— Sa mère le rejette.
Thorn se raidit, choqué de cette remarque.
— Vous voyez, reprit la femme, j'aurais mieux fait de me taire.
— Sa mère le rejette?
— Elle ne l'aime pas, et il s'en rend compte.
Thorn était sidéré et ne savait que répondre.
— Parfois, je pense qu'il n'a que moi au monde, ajouta la femme.
— Vous vous trompez.
— Et maintenant, il a ce chien. Il l'adore. Pour l'amour du petit, monsieur, ne le chassez pas.
Thorn regarda l'énorme animal :
— Je n'aime pas ce chien, dit-il. Emmenez-le demain à la fourrière.
— La fourrière?

— Débrouillez-vous comme vous voulez, mais je veux qu'il soit parti demain.

— Mais ils le tueront!

Le visage de Mrs Baylock se durcit. Thorn s'en alla. La femme et le molosse, les yeux pleins de haine, le regardèrent traverser le hall.

5

Thorn ne put dormir cette nuit-là. Il s'installa sur la terrasse de sa chambre, et fuma cigarette sur cigarette jusqu'au matin.

Quand Katherine se réveilla, son œil était si gonflé qu'elle ne pouvait l'ouvrir, et Thorn lui suggéra d'appeler un médecin. Ils n'échangèrent que quelques mots. Katherine était d'humeur morose et Thorn pensait à ce qu'il avait à faire pendant la journée. Il fallait qu'il prépare son voyage en Arabie Saoudite, bien qu'il lui déplût de partir. Il redoutait quelque chose pour Katherine, pour Damien et pour lui-même, et pourtant il ne pouvait dire quoi. Jusqu'ici, la mort ne l'avait pas beaucoup préoccupé, cette échéance lui paraissait extrêmement lointaine; mais à présent, il avait le sentiment que sa vie était en danger.

Dans la voiture qui l'emmenait à l'ambassade, il griffonna quelques notes concernant les dispositions à prendre au cas où il viendrait à disparaître. Quand il arriva à l'ambassade, il pressentit quelque chose de désagréable.

La voiture s'arrêta et Thorn descendit, très tendu. Deux hommes se précipitèrent vers lui, l'un prenant des photos, l'autre l'assaillant de questions. Thorn se dirigea rapidement vers l'ambassade, mais ils lui barrèrent le chemin. Il essaya de les repousser tout en éludant leurs questions :

– Avez-vous vu le *Reporter* d'aujourd'hui, Mr Thorn?

– Non...

– On dit qu'elle a laissé une lettre pour expliquer son suicide.

– Bêtises.

– Tournez la tête, s'il vous plaît.

Jennings était là avec son appareil photo, virevoltant, prenant cliché sur cliché.

– Pardon, dit Thorn en écartant Jennings.

– Est-ce vrai qu'elle se droguait? demanda l'autre.

– Bien sûr que non.

– Le rapport du médecin légiste dit qu'il y avait des traces de drogue dans le sang.

– C'est un médicament, répondit Thorn excédé, elle avait des allergies.

– On dit qu'elle en avait trop pris.

– Attention, ne bougez pas, demanda Jennings.

– Laissez-moi passer, grommela Thorn.

– Je fais mon boulot, monsieur.

Thorn tenta de s'esquiver, mais ils le poursuivirent et le retinrent encore.

– Se droguait-elle, Mr Thorn?

– Je vous ai dit que non.

– Mais l'article dit...

– Je me moque de ce que dit l'article.

– Formidable! s'exclama Jennings, restez comme ça.

Jennings s'approcha trop près et Thorn, d'un revers de la main, balaya l'appareil qui s'écrasa sur le trottoir. Cet accès de colère surprit les deux journalistes.

– Ne respectez-vous donc rien? dit Thorn. Je suis désolé pour votre appareil. Je vous le rembourserai.

Jennings ramassa l'appareil brisé, se leva lentement et, haussant les épaules, fixa Thorn droit dans les yeux :

— Ce n'est pas grave, monsieur l'ambassadeur. Disons que vous avez une dette envers moi.

Embarrassé, Thorn fit volte-face et entra à l'ambassade.

L'état-major de Thorn était en effervescence. Le voyage en Arabie Saoudite devenait problématique car Thorn refusait de partir, sans donner d'explication. Deux de ses assistants, qui depuis quinze jours préparaient ce voyage, tentaient de le faire changer d'avis.

— Il est trop tard pour annuler, dit l'un.

— Le voyage n'est pas annulé, rétorqua Thorn, il est reporté.

— Mais ils vont prendre ça pour une insulte.

— Tant pis!

— Mais pourquoi reporter?

— Je n'ai pas envie de voyager actuellement, répondit Thorn.

— Avez-vous mesuré l'enjeu de ce voyage? demanda un des assistants.

— La diplomatie, répondit Thorn.

— Plus que ça.

— Ils ont le pétrole et ils ont le pouvoir, remarqua Thorn. On n'y changera rien.

— C'est justement pourquoi...

— J'enverrai quelqu'un d'autre.

— Le Président souhaite que vous y alliez.

— Je lui parlerai, je lui expliquerai.

— Seigneur, Bob! Cela fait des semaines que l'on a mis sur pied toute cette histoire!

— Eh bien, recommencez tout! hurla Thorn.

Cet éclat soudain fit taire tout le monde.

L'interphone grésilla.

– Il y a ici un certain père Brennan qui veut vous voir, dit la secrétaire.
– Qui?
– Le père Brennan, de Rome. Il dit que c'est pour une affaire personnelle très urgente.
– Je n'ai jamais entendu parler de lui.
– Il dit qu'il en aura pour une minute.
– Il vient sans doute demander de l'argent, marmonna un des assistants de Thorn.
– Très bien, soupira Thorn, faites-le entrer.
– Je ne savais pas que vous étiez si charitable, remarqua un des assistants.
– Relations publiques! murmura Thorn.
– Ne prenez aucune décision à propos de l'Arabie Saoudite. Vous n'avez pas le moral aujourd'hui. Vous verrez tout cela demain.
– Ma décision est prise, dit Thorn d'une voix lasse. J'envoie quelqu'un d'autre, ou je reporte à plus tard.
– A quand?
– Plus tard. Quand j'aurai envie d'y aller.
La porte s'ouvrit brusquement et un homme minuscule apparut. C'était un prêtre; sa soutane était fripée, ses gestes nerveux. On sentait qu'il avait une mission urgente à remplir. Les collaborateurs de Thorn se demandaient s'il était prudent de le laisser seul avec cet individu.
– Serait-il possible... de vous parler seul à seul? demanda le prêtre avec un fort accent italien.
Thorn fit signe à ses assistants de partir. Le prêtre ferma la porte derrière eux, et revint vers lui.
– Alors? demanda Thorn avec appréhension.
– Nous n'avons pas beaucoup de temps.
– Pardon?
– Vous devez écouter ce que je vais dire.
Le prêtre restait debout, le dos appuyé à la porte.
– De quoi s'agit-il?

– Vous devez suivre le Christ pour votre salut. Vous devez le suivre.

Il se fit un silence. Thorn, éberlué, ne savait que répondre.

– Excusez-moi, interrompit Thorn. J'ai cru comprendre que vous aviez à me parler d'une affaire personnelle.

– Vous devez communier, poursuivit le prêtre, boire le sang du Christ et manger sa chair, car c'est seulement si vous le portez en vous que vous vaincrez l'Enfant du Diable.

Thorn tendait déjà la main vers l'interphone.

– Il a déjà tué une fois, murmura le prêtre, et il tuera encore. Il tuera jusqu'à ce que tout ce qui est à vous soit à lui.

Le prêtre s'approcha et se mit à parler plus fort :

– C'est seulement à travers le Christ que vous pouvez le combattre, poursuivit-il d'un ton persuasif. Accueillez le Seigneur Dieu. Buvez Son Sang!

Thorn appuya sur le bouton de l'interphone.

– J'ai fermé la porte à clef, Mr Thorn, dit le prêtre.

Thorn se raidit, effrayé soudain.

– Allô? demanda la voix de la secrétaire dans l'interphone.

– Envoyez un garde, répondit Thorn.

– Pardon, monsieur?

– Je vous en prie, signor, supplia le prêtre, écoutez ce que je vous dis.

– Monsieur? répéta la secrétaire.

– J'étais à l'hôpital la nuit où votre fils est né, Mr Thorn.

Thorn sursauta.

– J'ai... assisté... à la naissance, poursuivit le prêtre d'un ton hésitant.

La secrétaire appela de nouveau :

– Mr Thorn, je suis désolée. Je n'ai pas bien compris.
– Ce n'est rien, répondit Thorn, mais restez près de l'appareil.
Il relâcha le bouton et jeta au prêtre un regard angoissé.
– Je vous en supplie... dit Brennan refoulant des larmes.
– Que voulez-vous?
– Vous sauver, Mr Thorn, pour que le Christ me pardonne.
– Que savez-vous sur mon fils?
– Tout!
– Que savez-vous? s'impatienta Thorn.
Le prêtre, qui tremblait de tous ses membres, dit d'une voix entrecoupée par l'émotion :
– J'ai vu sa mère.
– Vous avez vu ma femme?
– J'ai vu sa *mère*, Mr Thorn!
Le visage de Thorn se durcit et il toisa le prêtre.
– Est-ce un chantage? demanda-t-il calmement.
– Non, monsieur.
– Alors que voulez-vous?
– Tout vous dire, monsieur.
– Me dire quoi?
– Sa mère, monsieur...
– Continuez! Qu'y a-t-il à propos de sa mère?
– Sa mère, monsieur, ... était... un *chacal!* Il est né d'un *chacal!* Je l'ai vu de mes yeux!
La porte s'ouvrit violemment; un Marine entra, suivi des assistants et de la secrétaire de Thorn; celui-ci, pâle comme la mort, n'esquissa pas un geste; le visage du prêtre ruisselait de larmes.
– Quelque chose ne va pas, monsieur? demanda le Marine.
– Vous parliez de façon bizarre, ajouta la secrétaire et la porte était fermée à clef.

– Reconduisez cet homme, ordonna Thorn, et si jamais il revient, qu'on le mette en prison.

Personne ne bougea; le Marine hésitait à porter la main sur un prêtre. Lentement, Brennan se dirigea vers la porte. Là, il se retourna vers Thorn :

– Accueillez le Christ, murmura-t-il tristement, buvez Son Sang chaque jour.

Puis il quitta la pièce, escorté par le Marine.

– Que voulait-il? demanda l'un des assistants.

– Je l'ignore, dit Thorn très bas, en fixant la petite silhouette du prêtre qui s'éloignait. C'est un fou.

Dans la rue devant l'ambassade, Haber Jennings, appuyé contre une voiture, examinait son appareil de rechange, après avoir mis de côté celui que Thorn venait de briser. Apercevant le prêtre et le Marine sur le perron, il se dépêcha de prendre deux clichés. Le Marine vit Jennings et se dirigea vers lui :

– Vous n'avez donc pas eu assez d'ennuis avec ce truc, aujourd'hui? demanda-t-il en montrant du doigt l'appareil de Jennings.

– Assez d'ennuis? répondit ce dernier en souriant. Jamais assez!

Et il en profita pour prendre instantanément deux clichés du Marine qui, ébloui, recula. Puis il modifia l'ouverture de son diaphragme et prit unc photo du prêtre qui disparaissait au loin.

Très tard ce soir-là, Jennings, dans sa chambre noire, examinait avec perplexité toute une série de photos. Pour s'assurer du bon fonctionnement de son appareil, il avait pris un rouleau entier de trente-six poses à des expositions et des vitesses différentes. Sur tout le film, seuls trois clichés avaient un défaut, le même que sur la photo de la nurse prise dans la propriété des Thorn. Cette fois-ci, on le retrouvait sur les photos du prêtre. Il apparaissait sur plusieurs clichés. Le plus étrange, c'est que le défaut semblait lié au sujet; on aurait dit une espèce de halo au-dessus du prêtre.

Jennings tira cinq photos du bain révélateur et les examina attentivement à la lumière : deux clichés du prêtre et du Marine, deux gros plans du Marine et un cliché du prêtre qui s'éloignait seul. Non seulement le défaut n'apparaissait pas sur les photos du Marine, mais sur le dernier cliché, il était plus petit, proportionné à la silhouette du prêtre. Comme sur les premières photos, il s'agissait d'une sorte d'auréole, mais contrairement à la tache arrondie que présentait la photo de la nurse, celle-ci était allongée et exactement au-dessus de la tête du sujet. On aurait dit un javelot prêt à clouer le prêtre au sol.

Jennings prit une cigarette de marijuana et se carra sur son siège pour réfléchir. Il avait lu quelque part que la pellicule des films était aussi sensible à la forte chaleur qu'à la lumière. Il avait lu, dans une revue spécialisée, un article sur des photos de fantômes prises en Angleterre, dans une maison hantée. On attribuait le phénomène à une réaction de l'acide nitrique à la chaleur. On avait tenté l'expérience en laboratoire : une chaleur intense imprimait la pellicule, exactement comme la lumière. La chaleur est de l'énergie, l'énergie est de la chaleur, et si vraiment les apparitions sont, comme le pensent certains experts, un geste d'énergie humaine, il est normal qu'on puisse les photographier. Mais l'énergie dont parlait l'article n'émanait pas d'un corps humain. D'où provenait celle enregistrée audessus d'une forme humaine? Etait-elle le résultat d'une extrême tension nerveuse chez l'individu photographié? On sait que l'anxiété est une source d'énergie électrique et on l'utilise dans les détecteurs de mensonges. L'électricité est aussi de la chaleur. Peut-être que la chaleur produite par une extrême anxiété se dégage du corps humain et parvient à impressionner la pellicule. Jennings fouilla dans sa documentation sur les différentes marques de films, pour trouver les références de la pellicule la plus sensible à la lumière. C'était la Tri X 600, un tout nouveau produit avec lequel on pouvait photographier un sujet à vitesse maximale à la lumière d'une bougie.

Le lendemain, Jennings acheta vingt-quatre rouleaux de Tri X 600 et une série de filtres, pour pouvoir aussi faire des clichés à la lumière du jour. Il lui fallait maintenant trouver des sujets en état d'extrême anxiété. Il se rendit dans un hôpital pour photographier à leur insu des patients qui se savaient condamnés. Les résultats furent décevants : sur dix rouleaux de photos, aucune tache n'apparut.

Jennings fut déçu mais ne se découragea pas. Il devinait qu'il était sur le point de découvrir quelque chose. Il retourna dans sa chambre noire, fit un nouveau tirage des photos du prêtre et de la nurse, en utilisant des papiers différents, et les agrandit pour examiner de près chaque détail. Sur les agrandissements, on distinguait très nettement une forme suspendue dans l'atmosphère.

Après une semaine d'expériences, Jennings quitta sa chambre noire et se remit à suivre Thorn.

L'ambassadeur donnait une série de conférences, si bien qu'il était facile pour Jennings de l'approcher. On voyait Thorn partout : sur les campus universitaires, à des déjeuners d'affaires, et même dans des usines. Il parlait avec éloquence et conviction et passionnait toujours son auditoire.

Au cours de cette campagne, il s'arrangeait pour que chacun puisse l'approcher et adressait la parole aux plus déshérités. En un mot, il soignait sa popularité.

En fait, ce qui touchait le plus les gens, c'était l'espèce de désespoir qui émanait de lui. Si Thorn se donnait avec tant de passion à ces réunions publiques, c'était beaucoup pour chasser le malaise qu'il sentait grandir en lui, comme si un malheur le menaçait perpétuellement. Par deux fois, au cours de ces conférences, il avait remarqué une petite silhouette noire qui lui était familière, et il était persuadé que le prêtre le poursuivait. Craignant de se tromper, il n'osait en parler à personne, mais cela l'inquiétait, et dès lors, il scrutait la foule, angoissé à l'idée d'y découvrir le prêtre. Il avait essayé d'oublier ce que lui avait dit Brennan. C'était un fou, voilà tout, un fanatique dont l'obsession s'était par hasard cristallisée sur leur enfant. Pourtant, les propos du prêtre le hantaient et il luttait de toutes ses forces pour ne plus y penser. Il se demandait parfois si le prêtre n'était pas un assassin. Lee Harvey Oswald et Arthur Bremmer avaient agi de la même manière, essayant d'avoir des contacts personnels avec leurs futures victimes. Mais il chassa cette idée-là aussi. Et pourtant, nuit et jour, l'image du prêtre l'obsédait. Thorn se sentait traqué.

A Pereford, régnait un calme apparent. Katherine voyait peu son mari, celui-ci étant pris par ses obligations professionnelles, et, quand ils étaient ensemble, ils évitaient soigneusement tout sujet susceptible de réveiller leur angoisse. Comme elle l'avait projeté, Katherine passait maintenant plus de temps avec Damien, mais elle n'en retirait pas la joie qu'elle avait espérée. L'enfant, silencieux et lointain, ne manifestait aucune affection à sa mère et semblait trouver le temps long jusqu'au retour de Mrs Baylock.

En présence de sa gouvernante, au contraire, son attitude changeait complètement. Il riait et jouait comme n'importe quel enfant de son âge. Déçue,

Katherine essayait néanmoins de l'amuser, de lui faire plaisir : elle lui offrait des coloriages, des boîtes de peinture, des jouets, qu'il recevait poliment mais sans enthousiasme. Un après-midi pourtant, il s'intéressa à des découpages représentant des animaux, ce qui donna à Katherine l'idée de l'emmener au zoo.

En chargeant dans sa voiture tout ce qu'il leur fallait pour passer une journée dehors, Katherine réalisa combien la vie qu'ils menaient était différente de celle du commun des mortels. A quatre ans et demi, son fils n'avait jamais été au zoo. Il recevait tant de cadeaux, il était si choyé, qu'il n'avait jamais le moindre désir. Peut-être était-ce pour cela qu'il était triste. Mais ce jour-là, les yeux de Damien brillaient de plaisir quand il s'assit à côté d'elle dans l'auto et elle eut enfin l'impression d'avoir marqué un point. Il se mit même à parler; il trébucha sur le mot « hippopotame » et éclata de rire quand il arriva, après bien des efforts, à le prononcer correctement. Il fallait si peu de chose à Katherine pour la rendre heureuse! Rien qu'à entendre le rire de son enfant, elle sentait s'évanouir ses craintes. Elle parla pendant tout le trajet et Damien l'écouta bouche bée : les lions n'étaient que de gros chats, et les gorilles de grands singes; les écureuils s'apparentaient aux rats et les chevaux aux ânes. L'enfant, ravi, tâchait de tout retenir; Katherine improvisa un petit poème : « Les lions sont des chats et les gorilles des singes, les écureuils sont des rats et les chevaux des ânes. » Elle le dit à toute allure et Damien éclata de rire; elle recommença, encore plus vite et il rit de plus belle. Ils se tordirent de rire, tous deux, tout le long du chemin jusqu'au zoo.

Il faisait exceptionnellement beau ce jour-là et les animaux étaient sortis dans leurs enclos pour profiter du soleil : on entendait leurs grognements et leurs hurlements longtemps avant d'arriver à la grille d'entrée. Katherine loua une poussette pour que Damien profite de la promenade sans trop se fatiguer.

Ils s'arrêtèrent d'abord devant les cygnes. Quelques-uns s'étaient approchés pour manger les morceaux de pain que leur jetaient des enfants. Katherine se fraya un chemin vers le bord du bassin, mais, au même moment, les cygnes décrivirent dans l'eau un majestueux arc de cercle, et s'éloignèrent de la rive. Parvenus au milieu de l'étang, ils s'arrêtèrent, regardant leurs admirateurs avec une royale et dédaigneuse arrogance. En dépit des appels des enfants, ils restèrent là, nageant sur place. En partant, Katherine remarqua que les cygnes se dirigeaient à nouveau vers le bord du bassin.

L'heure du déjeuner approchait et la foule devenait de plus en plus dense. Katherine chercha des yeux une cage devant laquelle il n'y aurait pas trop de monde. Sur la droite, une pancarte indiquait « Chiens de prairie ». Ils partirent dans cette direction et, chemin faisant, Katherine raconta à Damien tout ce qu'elle savait sur les chiens de prairie. Elle lui dit qu'ils vivaient dans le désert où ils creusaient des terriers, et qu'ils s'apprivoisaient facilement, comme des chiens ou des chats. En arrivant près de l'enclos, Katherine s'aperçut qu'il y avait foule là aussi, et que tout le monde regardait dans le fond de la fosse. Elle s'approcha mais ne vit les animaux qu'une seconde car, pris de panique, ils disparurent instantanément dans leurs terriers. La foule désappointée se dispersa. Quand Damien se pencha au-dessus de la fosse, il ne vit qu'une motte de terre pleine de trous et regarda sa mère avec consternation.

– Ce doit être l'heure du déjeuner pour eux aussi, dit-elle en haussant les épaules.

Ils s'éloignèrent, achetèrent des hot-dogs et les mangèrent sur un banc.

– Maintenant, allons voir les singes, dit Katherine.

En chemin, ils passèrent devant la cage de l'ours qui tournait en rond dans son enclos, se désintéressant totalement des gens qui le regardaient. Mais dès que Katherine et Damien s'approchèrent, l'ours les regarda : il arrêta son manège et son poil se hérissa tandis qu'il se dressait dans une attitude menaçante. Dans la cage voisine se trouvait un chat sauvage : lui aussi s'immobilisa et ses yeux jaunes se rivèrent sur les deux visiteurs. A côté, un babouin leur montra les dents. Katherine se rendit compte de l'effet qu'ils produisaient sur les animaux. Elle remarqua que c'était Damien, surtout, qu'ils observaient. Et lui aussi l'avait remarqué.

– Je crois qu'ils te trouvent très mignon, dit-elle en souriant, d'ailleurs, moi aussi.

Et, dégageant la poussette de la file des visiteurs, elle continua son chemin. Ils arrivèrent au domaine des singes, spectacle vedette qui attire toujours beaucoup de monde, et il leur fallut faire la queue. Katherine laissa la poussette à la porte du bâtiment et prit Damien dans ses bras. De l'endroit où ils se trouvaient, près de la porte, Katherine et Damien ne pouvaient rien voir, mais d'après les réactions de la foule, Katherine comprit que les singes devaient faire mille tours. Portant toujours Damien, elle se fraya un chemin dans la cohue jusqu'à ce qu'elle puisse voir ce qui se passait. Des atèles, petits singes aux membres démesurés, se balançaient sur des trapèzes, bondissaient dans tous les sens et amusaient la foule par leurs acrobaties. Damien, très excité, éclata de rire, et Katherine joua des coudes pour arriver au premier rang. Les singes ne prêtaient eux non plus aucune attention aux spectateurs. Mais, dès que Katherine et Damien approchèrent, l'atmosphère de la cage changea soudain. Un à un, les animaux s'immobilisèrent. Le silence se fit parmi la foule. Tout à coup, un hurlement retentit dans la cage, véritable cri de terreur et d'alarme qui fit se rassembler tous les animaux. Puis, ce fut la panique générale : les singes se mirent à bondir en tous sens, tentant de s'échapper par n'importe quel moyen. Ils s'entassèrent au fond de la cage, s'efforcèrent de briser le grillage de la fenêtre, épouvantés comme si un fauve avait soudain fondu sur eux. Dans leur affolement, ils se griffaient et se mordaient jusqu'au sang. Horrifiés, les gens se taisaient. Seul Damien riait et contemplait la scène atroce avec des petits cris de joie. Dans la cage, la frayeur atteignit son paroxysme : un grand singe bondit vers le plafond et resta pris dans les mailles du grillage; il se débattit quelques secondes, puis mourut étranglé. Les gens se précipitèrent vers les portes, en hurlant d'horreur. Les animaux, devenus fous, se jetaient contre les murs. L'un d'eux se laissa tomber du haut de la cage sur le sol en ciment; la tête en sang, il agonisait, tandis que les autres gémissaient d'épouvante autour de son corps agité de soubresauts. Malgré la bousculade générale, Katherine restait immobile. Son fils riait; il montrait du doigt l'abominable spectacle et il pouffait comme s'il orchestrait lui-même ce massacre. Sans nul doute, c'était *lui* qui effrayait les animaux. C'était *lui* la cause de tout. Et tandis que cette abomination se poursuivait, Katherine se mit à pleurer.

6

Après l'incident du zoo, ils avaient repris la voiture et Katherine avait roulé tout l'après-midi. Damien, assis à côté de sa mère, ne bougeait pas : il était vexé et ne comprenait pas ce qu'il avait fait de mal. Il avait essayé de répéter le poème, celui qui parlait des gorilles et des singes, des chevaux et des ânes, mais Katherine n'avait pas ri cette fois.

Ensuite, Damien avait dit à sa mère qu'il avait faim, mais elle n'avait rien répondu. Découragé, il avait enjambé son siège et s'était installé sur la banquette arrière. Roulé dans une couverture, il s'était endormi.

Katherine conduisait vite, sans but précis, essayant simplement de fuir la peur qu'elle sentait monter en elle. Elle n'avait pas peur de Damien, ni de Mrs Baylock. Elle avait peur de devenir folle.

Robert, qui l'attendait à Pereford, espérait qu'elle reviendrait de bonne humeur, et avait demandé que l'on ne serve pas le dîner avant son retour. Ils étaient maintenant à table, assis l'un en face de l'autre. Thorn ne quittait pas Katherine des yeux, tandis que, silencieuse et tendue, elle essayait d'avaler son repas.

– Tout va bien, Katherine?

– Oui.

– Tu ne dis rien?

– Je suis un peu lasse.

– Tu as eu une journée éreintante?

– Oui.

Elle répondit sèchement, apparemment agacée de sa sollicitude.

– C'était bien?

– Oui.

– Tu as l'air contrarié...
– Vraiment?
– Qu'est-ce qui ne va pas?
– Qu'est-ce qui pourrait ne pas aller?
– Je ne sais pas. Tu n'as pas l'air bien.
– Juste un peu fatiguée, je te l'ai dit. J'ai besoin de dormir.

Elle eut un petit sourire forcé, mais ce ne fut guère convaincant.

Plus Thorn l'observait, plus il s'inquiétait.

– Damien va bien?
– Oui.
– Tu es sûre?
– Oui.

Thorn la dévisagea avec insistance, mais elle détourna les yeux.

– S'il y avait quelque chose... tu me le dirais, n'est-ce pas? Je veux dire... à propos de Damien.

– De Damien? Que pourrait-il y avoir à propos de Damien, Robert? Quel problème pourrait-il y avoir à propos de notre fils? Nous sommes des gens comblés, non?

Elle ébaucha un sourire.

– Je veux dire que seules les « bénédictions » viennent dans la maison des Thorn, poursuivit-elle. Les nuages noirs s'écartent d'eux-mêmes.

– Kathy, insista Thorn, que se passe-t-il?

Katherine se prit la tête à deux mains :

– Je crois... répondit-elle, s'efforçant de parler calmement... Je veux voir un médecin. (Elle releva la tête et Thorn lut dans ses yeux un immense désarroi.) J'ai des angoisses, dit-elle... des angoisses anormales.

– Kathy... murmura Thorn, quel genre d'angoisses?

– Si je te le dis, tu me feras enfermer.
– Non, lui assura-t-il. Non... je t'aime.

– Alors, aide-moi, supplia-t-elle, trouve-moi un médecin.

Des larmes lui perlaient à ses paupières et Thorn lui prit la main.

– Bien sûr, dit-il, bien sûr.

Elle pleura mais ne révéla rien des horribles événements de la journée.

En Angleterre, il n'était pas aussi courant qu'en Amérique de consulter un psychiatre, aussi Thorn eut-il quelque difficulté à en trouver un auquel il puisse faire confiance. Celui auquel il s'adressa enfin était américain; un peu trop jeune au goût de Thorn, mais il lui avait été vivement recommandé et avait, paraît-il, une grande expérience. Il s'appelait Charles Greer. Diplômé de Princeton, interne de Bellevue, il présentait l'énorme avantage d'avoir vécu un certain temps à Georgetown et d'y avoir soigné plusieurs femmes de sénateurs.

– Le problème majeur des femmes d'hommes politiques est l'alcoolisme, dit Greer à Thorn quand il vint le voir. Cela vient de l'impression d'isolement qu'elles éprouvent en général et de la crainte qu'elles ont de décevoir leur mari.

– Vous comprenez qu'on ait besoin de discrétion? dit Thorn.

– C'est tout ce que j'ai à vendre, répondit en souriant le psychiatre. Les gens se confient à moi, et franchement, c'est tout ce que j'ai à leur offrir. Ils ne discutent pas de leurs problèmes avec d'autres personnes, justement parce qu'ils croient qu'on répétera ce qu'ils ont dit. Tandis que moi, je suis sûr. Je ne peux pas vous promettre grand-chose, mais je peux vous promettre ça.

– Dois-je dire à Katherine de vous appeler?

– Donnez-lui seulement mon numéro, ne l'y forcez pas.

– Elle ne s'y oppose pas, c'est elle-même qui me l'a demandé.

– Parfait.

Un peu gêné, Thorn se leva; le jeune médecin sourit.

– M'appellerez-vous après l'avoir vue? demanda Thorn.

– Certainement pas, répondit Greer très simplement.

– Et si vous avez quelque chose à me dire?

– Ce que j'aurai à dire, je le lui dirai à elle.

– Bien sûr, mais si son état vous inquiète...

– A-t-elle des tendances au suicide?

– Non...

– Alors, ne vous en faites pas pour elle. Je suis sûr que ce n'est pas aussi grave que vous le pensez.

Rassuré, Thorn se dirigea vers la porte.

– Mr Thorn?

– Oui.

– Pourquoi êtes-vous venu aujourd'hui?

– Pour vous voir.

– N'aviez-vous rien de particulier à me confier?

Soudain embarrassé, Thorn réfléchit un instant, puis il fit non de la tête :

– Non, pourquoi? Pensez-vous que j'ai des problèmes, moi aussi?

– Et moi? demanda Greer.

– Apparemment pas.

– Eh bien pourtant, j'en ai comme tout le monde! répondit le médecin en souriant. Dans ma profession, le contraire serait mal vu.

Cette conversation troubla Thorn et il y pensa tout l'après-midi. A un moment, dans le cabinet de Greer, il avait ressenti le besoin de parler, de lui raconter ce qu'il n'avait jamais dit à personne. Mais à quoi bon? Il devait se résigner à vivre avec son secret. Pourtant il mourait d'envie de le confier.

La journée passa : Thorn travailla à un discours qu'il devait prononcer le lendemain soir devant quelques hommes d'affaires importants. Il risquait de se trouver parmi eux des représentants des intérêts pétroliers arabes et Thorn voulait peaufiner son discours, en faire une sorte de plaidoyer pour la paix. C'était le perpétuel conflit à propos d'Israël, qui creusait le fossé entre les Etats-Unis et les puissances arabes, et Thorn savait que les hostilités israélo-arabes duraient depuis des millénaires, puisqu'il en était déjà question dans les Ecritures. Il se plongea donc à trois reprises dans la Bible pour approfondir ses connaissances. Il savait d'expérience que pas un auditoire au monde ne reste insensible aux citations tirées des Saintes Ecritures.

Il se fit monter un repas dans son bureau et s'y enferma tout l'après-midi. Il éprouva d'abord quelques difficultés à retrouver les passages les plus significatifs, aussi envoya-t-il un commissionnaire lui chercher une bibliographie et des commentaires de la Bible. Ensuite, la tâche fut plus aisée car il pouvait se référer tout de suite aux textes en rapport avec les sujets qu'il voulait aborder.

C'était la première fois depuis son enfance que Thorn feuilletait la Bible. Il fut d'autant plus passionné par sa lecture qu'il fit le rapprochement entre les textes anciens et la violence actuelle au Moyen-Orient. Il découvrit que c'était d'abord au Juif Abraham et à ses descendants que Dieu avait promis le pays de Canaan :

« Je rendrai ta postérité aussi nombreuse que la poussière de la terre. Tout le pays que tu vois, je te le donnerai, ainsi qu'à tes descendants pour toujours. » (Genèse XIII, 14 à 17.)

Le pays que Dieu avait donné aux Juifs était clairement décrit comme étant le territoire qui s'étend de la rivière d'Egypte au Liban et à l'Euphrate. Thorn consulta un atlas et vit que l'Etat d'Israël n'occupait actuellement que l'étroite petite bande comprise entre le Jourdain et la Méditerranée. Une infime parcelle de ce que Dieu avait promis. Les tentatives que faisait Israël pour s'agrandir étaient-elles donc dictées par ces textes? L'intérêt de Thorn s'accrût et il chercha plus avant. Si Dieu avait fait une telle promesse, pourquoi ne la tenait-elle pas?

« Si tu gardes mon Alliance, tu seras pour moi un royaume de prêtres et une Nation Sainte... »

Peut-être était-ce l'explication. Les Juifs n'avaient pas gardé l'Alliance du Seigneur. On croyait même qu'ils avaient tué le Christ. Le Deutéronome le confirmait, car après la mort du Christ, on déclarait aux Juifs :

« Le Seigneur vous disséminera parmi les peuples, et il restera peu d'entre vous parmi les Nations où le Seigneur vous conduit. Vous serez réduits en esclavage dans toutes les Nations et Jérusalem sera foulée aux pieds par les Gentils jusqu'à ce que les Gentils soient rassasiés. » L'évangile de saint Luc disait la même chose, à la différence près que le mot « Gentils » était remplacé par le mot « Nations » : « Vous serez foulés aux pieds jusqu'à ce que les Nations soient rassasiées. » Cela prophétisait clairement que les Juifs seraient persécutés tout au long de l'Histoire, puis que viendrait un temps où cela cesserait. Mais quand viendrait-il, ce temps des nations, ce temps où devaient finir les persécutions?

En se référant aux textes, Thorn trouva la preuve de la colère de Dieu. L'histoire du peuple juif n'était qu'une longue suite de persécutions. Le roi Salomon avait chassé les Juifs d'Israël, puis les Croisés les avaient massacrés. On rapportait qu'en l'an 1000, douze mille Juifs avaient été tués; puis, en l'an 1200, tous ceux qui s'étaient réfugiés en Angleterre avaient été expulsés ou pendus. En 1298, cent mille Juifs avaient été assassinés en Franconie, en Bavière et en Autriche. En septembre 1306, une autre centaine de mille avaient été expulsés de France sous peine de mort. En 1348, on avait accusé les Juifs d'avoir causé une épidémie mondiale de peste noire, et plus d'un million d'entre eux furent poursuivis et tués. En août 1492, alors que Christophe Colomb découvrait le Nouveau Monde, l'Inquisition espagnole avait fait expulser de ce pays cinq cent mille Juifs et en avait condamné à mort cinq cent mille autres. La liste noire s'allongeait jusqu'à Hitler qui avait fait mourir six millions de Juifs, n'en laissant sur la terre que onze millions, misérables et sans patrie. Fallait-il donc s'étonner de l'ardeur avec laquelle ils se battaient maintenant pour avoir un refuge, un pays bien à eux? Et fallait-il s'étonner qu'ils repoussent toute offensive avec la même ardeur que si ce devait être la dernière?

« Je ferai de toi une grande nation, avait promis Dieu, et Je te bénirai; Je magnifierai ton nom, et tu seras une source de bénédictions... et toutes les familles de la terre seront bénies en toi. »

Thorn s'aperçut que Dieu avait fait à Abraham trois promesses différentes, mais d'importance égale : le don d'un pays, Israël; l'assurance qu'Abraham et sa descendance deviendraient une grande nation; et enfin, pour couronner le tout, « la bénédiction » : la venue du Sauveur. Le retour des Juifs à Sion était lié à la seconde venue du Sauveur, et, si c'était vrai, on était maintenant arrivé au temps où cela devait se produire. Etait-il possible que le Christ soit déjà sur terre? Etait-il à nouveau né d'une femme et marchait-il maintenant au milieu de nous?

L'esprit spéculatif de Thorn se mit à considérer toutes ces éventualités. Si le Christ se trouvait actuellement sur terre, il était sûrement habillé à la mode du jour : plus de tuniques et de couronnes d'épines, mais des blue-jeans, un costume à la Mao ou un complet et une cravate. Etait-il déjà né? Et si oui, pourquoi se taisait-il? Sûrement parce qu'il régnait un trop grand désordre dans le monde.

Agitant ces pensées, Thorn revint chez lui, les bras chargés des livres qu'il venait de se procurer. Il attendit que Katherine soit couchée pour aller dans son bureau. C'était le retour du Christ qui enflammait tout particulièrement son imagination et il commença à rechercher les passages qui y avaient trait. Tout était extrêmement complexe, car, d'après les prophéties de l'Apocalypse, le Christ, à son retour sur terre, devait se trouver confronté à son antithèse : l'Antéchrist, le Fils du Diable. La terre serait alors complètement anéantie par la lutte finale entre le Ciel et l'Enfer. Ce serait Armageddon. L'Apocalypse. La fin du monde.

Perdu dans ses pensées, Thorn entendit un bruit qui venait de l'étage : un gémissement qui se produisit à deux reprises. Thorn se leva, monta les escaliers à pas feutrés et jeta un coup d'œil dans la chambre de Katherine. Elle dormait, mais elle s'agitait dans son sommeil et son visage était inondé de sueur. Il resta auprès d'elle jusqu'à ce qu'elle se calme et que sa respiration redevienne régulière, puis il se retira. Marchant à tâtons dans le noir, il passa devant la porte de Mrs Baylock et remarqua qu'elle était légèrement entrouverte. L'énorme femme dormait, grosse montagne de chair, éclairée par le clair de lune qui inondait les carreaux. Thorn s'apprêtait à passer son chemin, lorsqu'il s'immobilisa soudain, sidéré : le visage de la gouvernante était plâtré d'une couche de blanc sur lequel tranchaient les lèvres grossièrement barbouillées de rouge. Mrs Baylock était maquillée comme une prostituée. Horrifié, Thorn, les jambes molles, dut faire un effort pour se ressaisir. Quelle étrange idée de se peindre de la sorte pour dormir!

Il regagna son bureau et se plongea dans ses livres, mais, troublé par la vision qu'il avait eue, il était incapable de fixer son attention, et il parcourait les pages sans comprendre ce qu'il lisait. La petite Bible du roi James était ouverte au Livre de Daniel :

« A sa place s'élèvera un homme vil, nullement appelé à la dignité royale, mais qui surviendra à l'improviste et s'emparera de la royauté par ses intrigues. Les armées d'invasion seront mises en déroute devant lui et brisées... Il usera de tromperie et il triomphera presque sans combattre; il envahira les plus riches régions du pays : il fera ce que n'avaient pas fait ses pères, ni les pères de ses pères; il distribuera aux siens le butin, les dépouilles et les richesses; il formera des projets contre les forteresses... Il s'élèvera, il se glorifiera au-dessus de toute dignité, et il proférera même des paroles inouïes contre le Dieu du ciel. Il prospérera jusqu'à ce que la colère soit consommée, car ce qui a été promis s'accomplira... »

Thorn fouilla son bureau à la recherche d'une cigarette, se versa un verre de vin et fit les cent pas dans la pièce. Il réfléchissait à ce qu'il avait lu, essayant d'échapper au malaise qu'il venait de ressentir là-haut. Le Christ devait renaître au moment où les Juifs retourneraient à Sion; et à l'instant où renaîtrait le Christ, l'Antéchrist, lui aussi, viendrait au monde. Tous deux grandiraient séparément et ne se rencontreraient qu'à l'heure de leur confrontation finale. Thorn s'approcha de son bureau et feuilleta les livres :

« ... Prenez garde au jour du Seigneur, jour cruel, jour de colère et de rage brûlante qui réduira la terre à la désolation... et je rendrai les hommes plus rares que l'or fin, plus rares que l'or d'Ophir... »

Puis, dans le Livre de Zacharie :

« Ils marcheront les uns contre les autres et se battront avec leurs poings, dans toutes les montagnes. Il demandera une épée pour les combattre, et toute parole d'un frère se retournera contre son frère. »

Ebranlé par la violence contenue dans les prophéties, Thorn s'assit à nouveau :

« Voici la plaie dont l'Eternel marquera tous les peuples qui auront combattu contre Jérusalem : leur chair tombera en pourriture. Alors qu'ils seront debout, leurs yeux pourriront dans leurs orbites, et leur langue pourrira dans leur bouche. »

Thorn savait bien que progressivement le monde entier se tournait contre Israël : les Arabes, grâce à leur pétrole, étaient maintenant trop puissants pour que quiconque puisse leur résister. Si la colère de Dieu devait fondre sur les nations qui faisaient la guerre à Israël, toutes la subiraient. Il avait été prédit qu'Armaggedon, la bataille finale, aurait lieu en territoire israélien, Jésus se tenant d'un côté, sur le mont des Oliviers, l'Antéchrist de l'autre.

« ... Malheur à vous, ô Terre et Mer, car le Démon envoie la Bête chargée de colère, et il sait que le temps est compté. Aux gens avisés de calculer le nombre de la Bête, car c'est le nombre d'un homme et ce nombre est Six Cent Soixante Six. »

Armaggedon, la fin du monde, la bataille pour Israël.

« L'Eternel paraîtra et il combattra ces nations... Ses pieds se poseront en ce jour sur la montagne des Oliviers qui est face à Jérusalem, du côté de l'orient... Et l'Eternel paraîtra, et tous ses saints avec Lui. »

Thorn referma les livres, éteignit la lampe de son

bureau et resta longtemps à méditer en silence. Il se demanda ce qu'étaient au juste ces livres, qui les avait écrits, et pourquoi? Et il se demanda pourquoi il y croyait, malgré son scepticisme. Croire tout ce qui était écrit, c'était renoncer à l'effort. Etions-nous tous de simples pions avec lesquels jouaient les forces du Bien et du Mal? N'étions-nous que des marionnettes dont les fils étaient tirés par les forces d'en Haut ou par celles d'en Bas? Existait-il réellement un Ciel? un Enfer? Il savait parfaitement que ces questions étaient celles d'un adolescent, et pourtant il ne pouvait s'empêcher de se les poser. Tout dernièrement, il avait deviné la présence de forces incontrôlables agissant dans un but bien précis. Il s'était senti faible et désemparé. Il ne pouvait rien faire. Personne ne pouvait rien faire. On ne demande pas à naître, on ne demande pas à mourir. Quelque chose fait que l'on naît et que l'on meurt. Mais pourquoi tant de souffrances entre la naissance et la mort? Peut-être que la vie est plus intense quand on souffre?

Thorn s'étendit sur le divan et s'endormit. Il rêva de choses affreuses : habillé en femme, il marchait dans une rue bondée et s'adressait à un agent pour lui expliquer qu'il s'était perdu et qu'il avait peur. L'agent ne l'écoutait pas et faisait circuler les voitures qui le frôlaient. Les voitures roulaient de plus en plus vite, l'air qu'elles déplaçaient devenait de plus en plus puissant et Thorn avait l'impression d'être pris dans une tempête. Le vent soufflait si fort qu'il en avait le souffle coupé; il haletait et s'accrochait à l'agent qui refusait toujours de lui prêter attention. Il hurlait de toutes ses forces pour demander de l'aide mais ses cris se perdaient dans le vent. Une voiture noire arriva sur lui, et il tenta de sortir de sa trajectoire, mais le vent, le poussant de tous côtés, l'immobilisait sur place. La voiture était sur lui et il discerna nettement le visage de son conducteur : un horrible faciès sans yeux ni bouche, tout ensanglanté et qui se fendit à l'emplacement des lèvres, eut un rire sardonique et vomit un flot de sang.

Au moment où la voiture allait l'écraser, Thorn se réveilla, suffoquant et baigné de sueur. Il était au bord des larmes.

7

C'était au Mayfair Hotel que Thorn devait faire son discours devant les hommes d'affaires. A 7 heures, la salle de conférences était déjà archicomble. Thorn avait en effet demandé à ses collaborateurs de faire annoncer sa conférence par la presse, si bien que, maintenant, on refusait du monde. En plus des personnalités attendues, il y avait une foule de reporters et même de petites gens, qui se tenaient debout au fond de la salle. Le parti communiste prenait de plus en plus Thorn pour cible; il avait été interpellé par des membres de ce parti au cours de deux discours qu'il avait faits dernièrement en plein air; et ce soir-là, il espérait bien ne plus être contré.

En se dirigeant vers l'estrade, Thorn remarqua, accroupi au milieu d'un groupe de photographes, celui dont il avait brisé l'appareil. Le photographe lui sourit en lui montrant son nouvel appareil, et Thorn, ravi de ce geste pacifique, lui rendit son sourire. Puis il attendit que l'assemblée se taise et commença son discours.

Il parla des structures économiques mondiales et de l'importance du Marché commun. Dans toute société, dit-il, même primitive, la place du marché est le territoire commun, le lieu où les différents niveaux de richesse s'aplanissent jusqu'à devenir semblables, le creuset où se fondent les cultures diverses. Quand l'un a besoin d'acheter et que l'autre a besoin de vendre, nous nous trouvons dans des conditions de paix idéales. Quand l'un a besoin d'acheter et que l'autre refuse de vendre, nous faisons le premier pas vers la guerre.

Il parla de la solidarité de l'espèce humaine, de la nécessité de fraterniser et de partager les ressources de la terre entre tous les hommes.

– Nous sommes tous pris, dit-il en citant Henry Beston, dans les filets de la vie et du temps; nous sommes tous prisonniers de la magnificence et du dur travail de la terre.

C'était un discours très brillant et l'auditoire écoutait attentivement. L'orateur parla ensuite des désordres politiques et de leur incidence sur l'économie; puis, ayant remarqué quelques Arabes dans l'assistance, il s'adressa spécialement à eux :

– Nous comprenons très bien qu'il existe un lien entre l'agitation et la pauvreté, dit-il, mais il ne faut pas oublier que bien des civilisations moururent de n'avoir pas su répartir les richesses.

Thorn était lancé maintenant, et Jennings, juste aux pieds de l'orateur, prit plusieurs gros plans.

– Il est bien triste de constater, poursuivit Thorn, que déjà, au temps du roi Salomon en Egypte, ceux qui naissaient riches et puissants...

– Vous devriez en savoir quelque chose, coupa une voix au fond de la salle.

Thorn s'arrêta, scruta l'auditoire plongé dans l'ombre, et comme la voix se taisait, reprit :

– ... au temps des pharaons, ceux qui naissaient riches et puissants...

– Parlons-en! dit à nouveau le perturbateur, suscitant cette fois un mouvement de mauvaise humeur dans l'auditoire.

Thorn se pencha pour mieux voir : c'était un étudiant, barbu et en blue-jeans.

– Que savez-vous de la pauvreté, Thorn? reprocha-t-il, vous n'avez jamais travaillé un seul jour de votre vie!

L'assistance siffla en signe de désapprobation et certains commencèrent même à injurier le jeune homme, mais Thorn leva les bras pour les faire taire.

– Ce jeune homme a quelque chose à dire, écoutons-le.

Le garçon fit un pas en avant et Thorn attendit qu'il s'explique, décidé à le laisser dire jusqu'au bout ce qu'il avait sur le cœur.

– Si vous vous préoccupez tant de partager les richesses, hurla l'étudiant, pourquoi ne partagez-vous pas les vôtres? Combien possédez-vous de millions? Savez-vous combien de gens meurent de faim? Savez-vous tout le bien que pourrait faire le contenu de votre portefeuille? Rien qu'avec la paie de votre chauffeur, on peut faire vivre toute une famille de l'Inde pendant un mois. L'herbe de vos vingt hectares de pelouse pourrait nourrir la moitié de la population du Bengladesh! Avec l'argent que vous avez gâché en un jour pour l'anniversaire de votre fils, vous auriez pu bâtir une clinique, ici même en plein Londres. Si vous insistez auprès des gens pour qu'ils donnent le surplus de leurs richesses, pourquoi ne montrez-vous pas l'exemple? Ne restez pas planté là, dans un costume de deux mille francs, à nous parler de la pauvreté!

Cette tirade pleine de feu fit un certain effet; quelques légers applaudissements montèrent de la foule, puis ce fut à Thorn de répondre.

– Avez-vous terminé? demanda-t-il.

– Combien valez-vous, Thorn? reprit son interlocuteur. Autant que Rockefeller?

– Il s'en faut de beaucoup!

– Quand Rockefeller a été nommé vice-président, les journaux ont dit que ses revenus s'élevaient à un peu plus d'un milliard et demi. Savez-vous ce que représentait cet un peu plus? Cent cinquante millions! Cela ne valait vraiment pas le coup de compter! C'était sa menue monnaie, tandis que la population du globe meurt de faim! Ne trouvez-vous pas qu'il y a quelque chose de révoltant là-dedans? Vous croyez que quelqu'un a besoin d'autant d'argent que ça?

– Me laisserez-vous répondre, je vous prie?

– Sauvez un enfant! Sauvez un enfant qui meurt de faim! Faites au moins quelque chose pour un seul enfant qui meurt de faim! Alors nous croirons en vous. Tendez votre main, pas vos lèvres, tendez juste une seule fois la main à un enfant qui meurt de faim!

– Peut-être l'ai-je déjà fait, répliqua Thorn calmement.

– Où est-il, alors? demanda le garçon. Qui est cet enfant? Qui avez-vous sauvé, Thorn? Qui tentez-vous de sauver?

– Certains d'entre nous ont des responsabilités qui dépassent le sort d'un enfant affamé.

– Vous ne pouvez pas sauver le monde, Thorn, si vous n'êtes pas capable de sauver un enfant qui meurt de faim.

Maintenant, l'auditoire était pour l'étudiant et sa réplique fut saluée par un tonnerre d'applaudissements.

– Vous avez un avantage sur moi, dit Thorn d'une voix unie, vous êtes là, dans le noir, à lancer des invectives.

– Alors, allumez les lumières, je les lancerai plus fort.

Cela fit rire l'assistance et une à une les lumières s'allumèrent; les reporters et les photographes se levèrent, soudain intéressés par ce qui se passait au fond de la salle. Jennings, se maudissant de ne pas s'être muni d'un téléobjectif, distingua parmi plusieurs silhouettes celle du jeune homme furieux.

Sur l'estrade, Thorn restait calme, mais, au fur et à mesure qu'on éclairait la salle, son attitude changea. Il ne regardait pas l'étudiant, mais une autre silhouette, cachée dans l'ombre. C'était un prêtre, mince et frêle, qui serrait nerveusement un chapeau entre ses mains. C'était Brennan.

— Que se passe-t-il, Thorn? ricana l'adolescent, vous n'avez plus rien à dire?

Thorn se sentit tout à coup la tête vide : une vague de peur déferla sur lui et il resta muet, le regard perdu au fond de la pièce. Jennings tourna son appareil vers l'endroit que fixait Thorn et il prit toute une série de clichés.

— Allez-y, Thorn! harcela le garçon, maintenant que vous pouvez me voir, qu'avez-vous à dire?

— Je crois..., dit Thorn en cherchant ses mots, je crois... que vos idées sont valables. Nous devrions tous partager nos richesses. J'essaierai de faire plus.

Le jeune homme fut désarçonné et l'auditoire déçu. Thorn retourna derrière son pupitre et chercha à reprendre le fil de ses pensées, puis il regarda à nouveau au fond de la salle. Il apercevait, dans un rai de lumière, la soutane de celui qui le traquait.

Jennings rentra tard chez lui ce soir-là, et il se mit aussitôt à développer ses films. Comme d'habitude, l'ambassadeur l'avait à la fois impressionné et intrigué. Jennings savait deviner la peur comme un chien flaire le gibier, et c'était bien la peur qu'il avait discernée à travers l'objectif de son appareil. Thorn avait bel et bien eu peur de quelque chose ou de quelqu'un pendant la conférence. A cause de la pauvreté de l'éclairage, Jennings avait ouvert au maximum le diaphragme de son appareil pour prendre les clichés dans la direction où regardait l'ambassadeur, et il espérait bien découvrir sur ses photos ce qui avait effrayé l'ambassadeur. Il attendait maintenant ce moment-là, et il s'aperçut qu'il avait faim. Il déchira donc l'emballage d'un sac de ravitaillement qu'il avait acheté en revenant du Mayfair Hotel et s'installa devant un petit poulet rôti et une bouteille de bière. Le poulet n'avait ni pattes ni tête. Jennings l'empala sur le goulot de la bouteille de bière, si bien que l'animal semblait le fixer de son corps décapité, au travers de la table. C'était une erreur, car maintenant il ne pouvait le manger. Il souleva donc ses deux petites ailes grillées, et poussa un cri pointu pour imiter les piaulements du volatile. Puis il ouvrit une boîte de sardines et les mangea en silence devant son convive muet.

Enfin, le minuteur sonna : Jennings courut dans la chambre noire pour sortir les épreuves du révélateur. Il alluma une lampe puissante, glissa les épreuves sous une loupe et les examina attentivement. Ce qu'il vit le combla d'aise et il hurla de joie. Les photos montraient le public de la conférence. On ne reconnaissait aucun visage, ni aucune silhouette, mais quelque chose, qui ressemblait à un javelot, se détachait au-dessus de la masse sombre : on aurait dit un nuage de fumée grisâtre.

– Merde! s'exclama Jennings en découvrant un gros homme qui fumait un cigare.

Après tout, la tache était peut-être seulement de la fumée.

Triant vite les négatifs, il sortit les trois qui l'intéressaient, les mit dans l'agrandisseur et attendit un quart d'heure que les agrandissements soient prêts. Non! ce n'était pas de la fumée. La couleur et la texture étaient différentes, comme l'était d'ailleurs la distance par rapport à l'appareil. Si la fumée du cigare avait été en cause, il en aurait fallu une quantité énorme pour produire un pareil nuage. Cela aurait gêné les voisins du fumeur; or, ceux-ci n'avaient pas l'air incommodé. La tache fantomatique surplombait le fond de la salle. Jennings prit une loupe, examina l'agrandissement et finit par découvrir le bas d'une soutane. Il leva les bras au ciel et poussa un cri de guerre : c'était encore le petit prêtre, et il existait sûrement un lien entre lui et Thorn.

— Bon dieu de merde! s'écria Jennings. (Et pour célébrer cette découverte, il dévora le reste de son poulet.) Il faut que je trouve cette sangsue! ajouta-t-il en riant. Je vais le filer jusque dans sa tanière.

Le lendemain matin, il découpa une photo du prêtre — celle qu'il avait prise avec le Marine devant les escaliers de l'ambassade — et fit le tour du diocèse de Londres : personne ne reconnut le prêtre et l'on assura à Jennings que, s'il avait exercé dans les environs, on l'aurait connu. Il ne devait pas exercer son ministère à Londres. La tâche serait plus ardue. Pris de soupçons, Jennings se rendit à Scotland Yard pour consulter les archives, mais cela ne donna aucun résultat. Il conclut qu'il ne lui restait plus qu'une chose à faire. La première fois qu'il avait vu le prêtre, celui-ci sortait de l'ambassade : sûrement, là-bas, quelqu'un saurait quelque chose.

Mais il craignait d'être refoulé par le contrôle de sécurité qui vérifiait les lettres de recommandation et les rendez-vous.

— J'aimerais voir l'ambassadeur, expliqua-t-il aux gardes. Il m'a dit qu'il me rembourserait l'appareil qu'il m'a cassé.

Ils vérifièrent le renseignement et, à la surprise de Jennings, le prièrent d'attendre dans le hall que le bureau de l'ambassadeur l'appelle par le téléphone intérieur. Jennings s'exécuta, et, quelques instants plus tard, il eut en ligne la secrétaire de Thorn : elle lui demanda à combien s'élevait la somme qu'on lui devait et à quelle adresse il fallait envoyer le chèque.

– J'aimerais en parler personnellement à l'ambassadeur, répondit Jennings. Je voudrais lui montrer ce que j'ai acheté avec son argent.

Elle répliqua que c'était impossible car l'ambassadeur était en réunion. Jennings décida de tenter le tout pour le tout.

– A vrai dire, je voulais lui parler d'un problème personnel. Mais peut-être vous-même pourriez-vous m'aider. Je recherche un prêtre; c'est un de mes parents. Je sais qu'il a eu affaire avec l'ambassade et je pensais que quelqu'un ici pourrait sans doute m'aider à le retrouver.

C'était une bien curieuse requête et la secrétaire hésita à répondre.

– C'est un tout petit bonhomme, ajouta Jennings.

– N'a-t-il pas l'accent italien? interrogea la secrétaire.

– Peut-être, oui. Je crois qu'il a passé quelque temps en Italie, improvisa Jennings, pour encourager la secrétaire.

– Ne s'appelle-t-il pas Brennan?

– Eh bien, voyez-vous, je n'en suis pas tout à fait sûr. Vous comprenez, j'essaie de retrouver la trace du frère de ma mère; il a été séparé d'elle quand il était tout enfant et il ne porte plus le même nom. Ma mère est très malade et elle aimerait revoir son frère avant de mourir. Nous ignorons son nom de famille et nous n'avons de lui qu'une description très vague. Nous savons seulement qu'il est aussi petit que ma mère et qu'il s'est fait prêtre. Or, un de mes amis a vu l'autre jour un prêtre sortir de l'ambassade, et il ressemblait tout à fait à ma mère.

– Nous avons eu en effet la visite d'un prêtre; il venait de Rome et je crois qu'il s'appelait Brennan.

– Savez-vous où il habite?

– Non.

– Il venait voir l'ambassadeur?

– Je crois que oui...

– Peut-être que l'ambassadeur sait où il habite.

– Oh, je ne pense pas.

– Pourriez-vous le lui demander?

– Si vous voulez.

– Ma mère est très malade. Elle est à l'hôpital et je crains qu'elle n'en ait plus pour très longtemps.

Dans le bureau de Thorn, l'interphone bourdonna : la voix de la secrétaire lui demanda s'il savait où l'on pouvait joindre le prêtre qui était venu le voir il y a quinze jours. Thorn frissonna.

– Qui demande cela?

– Un homme qui dit que vous avez cassé son appareil. Il pense que ce prêtre est de sa famille et il le recherche.

Thorn marqua une légère pause, puis reprit :

– Dites-lui de monter.

Jennings n'eut aucun mal à trouver le bureau de Thorn. De style résolument moderne, la pièce convenait parfaitement à son occupant. Elle se trouvait au bout d'un long couloir où étaient suspendus les portraits de tous les ambassadeurs américains qui avaient été en poste à Londres. Au passage, Jennings fut très intéressé d'apprendre que John Quincy Adams et James Monroe avaient tenu ce poste avant de devenir présidents des Etats-Unis. Apparemment, c'était un bon tremplin vers la gloire. Peut-être que le père Thorn serait lui aussi un grand homme.

Quelques secondes plus tard, Jennings entrait dans le bureau de Thorn.

– Asseyez-vous, dit Thorn en souriant.

– Je suis confus de vous déranger.
– Pas du tout.
Depuis des années qu'il pourchassait les célébrités, c'était la première fois qu'il établissait un contact personnel avec sa proie. Le début s'annonçait bien, mais maintenant son cœur battait la chamade et ses genoux tremblaient. Il avait le trac comme le jour où il avait développé sa première photo.
– Je suis désolé à propos de cet appareil, dit Thorn.
– De toute façon, c'était un ancien modèle.
– Je veux vous le rembourser.
– Non, non...
– J'y tiens. J'aimerais vous dédommager.
Jennings haussa les épaules et, de la tête, fit signe qu'il acceptait.
– Choisissez la meilleure marque, je vous l'offre.
– Eh bien! c'est extrêmement généreux...
– Dites-moi ce qu'il y a de mieux.
– C'est un appareil allemand, le Pentaflex 300.
– Entendu! N'oubliez pas de laisser vos coordonnées à ma secrétaire.
Jennings remercia et les deux hommes se regardèrent un moment en silence. Thorn soupesait son vis-à-vis, le jaugeait, notait chaque détail vestimentaire, depuis les chaussettes dépareillées jusqu'au col élimé de la veste. Jennings aimait être étudié de la sorte; il savait que son aspect extérieur repoussait les gens, et, d'une certaine façon (il y avait là quelque perversité), cela lui donnait barre sur eux.
– Je vous ai aperçu plusieurs fois.
– J'y étais intentionnellement.
– Vous êtes très assidu.
– Merci.
Thorn se leva, prit dans un petit meuble une bouteille de cognac et servit deux verres.

— Vous avez très bien manœuvré avec ce garçon, l'autre soir, remarqua Jennings.

— Vraiment?

— Oui, je trouve.

— Je n'en suis pas persuadé.

La conversation languissait, mais l'un et l'autre hésitaient à entrer dans le vif du sujet.

— Je me suis rangé à son avis, ajouta Thorn. La presse ne va pas tarder à me le reprocher.

— Oh! vous connaissez la presse.

— Oui.

— Il faut bien vivre.

— Evidemment.

Ils burent leur cognac à petites gorgées, puis Thorn se dirigea vers la fenêtre et regarda dans la rue.

— Vous cherchez un de vos parents?

— Oui, monsieur.

— Est-ce un prêtre appelé Brennan?

— C'est un prêtre, mais j'ignore son nom. C'est le frère de ma mère et ils ont été séparés tout enfants.

— Donc, vous ne le connaissez pas, dit l'ambassadeur.

— Non, monsieur. J'essaie de le retrouver.

Thorn paraissait déçu.

— Si j'osais vous demander... poursuivit Jennings. Peut-être que si je savais pourquoi il est venu vous voir...

— Pour une histoire d'hôpital. Il voulait... un don.

— Quel hôpital?

— Oh, à Rome, je ne me souviens plus.

— Vous a-t-il laissé son adresse?

— Non. Et justement cela m'ennuie, car je lui ai promis un chèque, et je ne sais où l'envoyer.

Jennings hocha la tête en signe d'assentiment :

— Alors, nous en sommes tous les deux au même point.

— Ma foi oui, répondit Thorn.

— Il n'est venu que pour parler de cela? Et vous ne l'avez jamais revu?

— Jamais plus.

La mâchoire de Thorn se durcit; Jennings s'en aperçut et devina immédiatement que l'ambassadeur lui cachait quelque chose.

— Je pensais que peut-être il avait assisté à quelques-uns de vos discours.

Thorn se sentit percé à jour.

— Comment vous appelez-vous? demanda-t-il.

— Jennings. Haber Jennings.

— Monsieur Jennings...

Thorn scruta le visage du photographe, puis détourna les yeux et regarda par la fenêtre.

— Monsieur?

— ... J'aimerais beaucoup retrouver ce prêtre. Je crains d'avoir été un peu dur avec lui et j'aimerais arranger les choses.

— Dur? De quelle façon?

— Je l'ai renvoyé plutôt brutalement. Je n'ai pas vraiment écouté ce qu'il voulait me dire.

— Je suis sûr qu'il en a l'habitude. Quand vous frappez chez les gens pour quêter...

— J'aimerais le retrouver. C'est très important pour moi.

Jennings sentait qu'il fallait jouer serré. L'enjeu en valait la peine.

— Si je le retrouve, je vous avertirai, dit-il.

L'entretien était terminé. Le photographe se dirigea vers Thorn pour lui serrer la main.

— Vous paraissez très soucieux, monsieur l'ambassadeur. J'espère que ce n'est pas bientôt la fin du monde?

— Oh non! répondit Thorn en souriant.

— Je vous admire beaucoup, voilà pourquoi je vous suis partout.

– Merci.

Jennings se dirigeait vers la porte quand Thorn l'arrêta :

– Monsieur Jennings?

– Monsieur?

– Si je comprends bien, ce prêtre, vous ne l'avez jamais vu?

– Non.

Il y eut un silence gêné, puis Jennings gagna la porte.

– Est-ce que je pourrais venir chez vous, un jour, pour faire quelques photos avec votre femme et votre fils?

– Pas ces temps-ci, ce n'est pas le moment.

– Alors je vous téléphonerai d'ici quelques semaines.

– Oui, plutôt.

Jennings sortit. Thorn comprenait bien que le journaliste savait quelque chose qu'il voulait taire. Mais que pouvait-il savoir au juste sur le prêtre? Etait-ce vraiment par hasard que ce Jennings, que Thorn connaissait à peine, recherchait justement le prêtre qui le poursuivait jour et nuit? C'était encore une de ces coïncidences étranges qui semblaient se multiplier autour de lui.

8

Pour Edgar Brennan, le Purgatoire ne pouvait être pire que la vie sur terre. C'est pourquoi, comme tant d'autres, il avait rejoint la confrérie de Rome. Irlandais de naissance, il était le fils d'un pêcheur de morue qui s'était noyé au large de Terre-Neuve. Tout ce dont Brennan se rappelait de son enfance était l'odeur de poisson dont sa mère ne se débarrassait jamais. La pauvre femme était d'ailleurs morte en mangeant du poisson cru qui l'avait empoisonnée. Orphelin à l'âge de huit ans, Brennan avait été recueilli dans un monastère. Là, il avait subi les pénitences les plus dures. Il avait appris la crainte de Dieu à coups de verges. A dix ans, le dos à jamais lacéré de cicatrices, il s'était voué au Christ.

Il consacra sa vie à l'Eglise et entra au séminaire. Pendant huit ans, il étudia la Bible jour et nuit. Il n'entendait parler que de l'amour et de la colère de Dieu. A vingt-cinq ans, il se risqua dans le monde pour sauver son prochain de l'Enfer. Il devint missionnaire, se rendit d'abord en Espagne, puis au Maroc. Ensuite, il prêcha dans le Sud-Est africain. Pour convertir les païens, il employa les méthodes qu'on lui avait fait subir. Il battit ses ouailles comme il avait été battu, et il éprouva un plaisir sadique à les voir souffrir. L'un des jeunes convertis, de la tribu des Kikuyus, se mit à l'idolâtrer. Profanant toutes les lois, ils s'adonnèrent au plaisir de la chair. Un jour, on les surprit ensemble. Au cours d'une cérémonie expiatoire, le jeune garçon, Tobu, fut solennellement châtré et forcé de manger ses testicules devant tous les guerriers de sa tribu. Brennan s'échappa de justesse et gagna la Somalie. Là, il apprit que les Kikuyus, croyant s'emparer de lui, avaient écorché vif un moine franciscain.

Brennan s'enfuit à Djibouti, puis à Aden et à Djakarta, se sentant poursuivi par la colère de Dieu. La mort le traquait, frappant ses compagnons de route, et il craignait à tout moment de subir le même sort. Il avait suffisamment étudié la Bible pour mesurer le châtiment qu'il méritait. Il ne savait comment se protéger de la terrible colère de Dieu. A Nairobi, il rencontra le père Spilletto et lui confessa ses fautes. Spilletto lui promit son aide et l'emmena à Rome.

C'est là qu'il découvrit le dogme de l'Enfer. Les adeptes de Satan l'accueillirent dans un sanctuaire où le châtiment de Dieu ne pouvait l'atteindre. Ils ne cherchaient que la satisfaction des plaisirs charnels et Brennan put librement assouvir ses penchants. Ils formaient une communauté de proscrits qui rejetaient Dieu et vénéraient le Diable.

La confrérie se composait surtout de gens humbles et ne comprenait que peu de représentants de la riche bourgeoisie. Extérieurement, ils menaient tous une vie respectable; c'était d'ailleurs leur arme la plus efficace contre les adorateurs de Dieu. Leur mission consistait à semer le trouble et la terreur parmi les hommes, jusqu'à l'avènement du Malin; de petits groupes dispersés s'employaient à créer le désordre un peu partout. La confrérie de Rome avait préparé la guerre civile en Irlande. On avait tout fait pour attiser la haine entre catholiques et protestants. Deux religieuses irlandaises, connues dans la congrégation sous le nom de B'aalock et B'aalam, avaient organisé de nombreux attentats. B'aalam mourut accidentellement au cours d'un plastiquage. Ses restes furent rapportés en Italie et ensevelis dans la terre sacrée de Cerveteri, ancien cimetière étrusque, connu aujourd'hui sous le nom de cimetière de Sant'Angelo, aux environs de Rome.

On accorda à B'aalam l'honneur d'être enterrée sous la châsse de Techulca, dieu étrusque du Mal. Plus de cinq mille membres de la secte assistèrent à la cérémonie. Brennan, qui était déjà des leurs à cette époque, fut vivement impressionné par cet enterrement. Il décida ce jour-là de jouer un rôle actif au sein de la congrégation, pour satisfaire son amour-propre et prouver à Spilletto qu'il était digne de confiance.

En 1968, Brennan reçut sa première mission. Spilletto l'envoya au Cambodge avec un autre prêtre. Ils réunirent une petite bande de mercenaires, passèrent au Sud-Vietnam et rompirent le cessez-le-feu. Le Nord rejeta la faute sur le Sud et vice versa, si bien que, quelques jours après l'arrivée de Brennan, la trêve était violée. Cet exploit préparait le chemin à une prise de pouvoir des communistes dans tout le Sud-Est asiatique : le Cambodge, le Laos, le Vietnam, puis la Thaïlande, et pour finir les Philippines. On espérait qu'au bout de quelques années toute notion de christianisme aurait été balayée du Sud-Est asiatique.

Toute la congrégation se réjouit de cet événement. A son retour, Brennan fut accueilli comme s'il avait été un des chefs de sa nouvelle religion. Le feu de la révolte couvait en Afrique et, comme Brennan connaissait ce continent, Spilletto l'envoya prêter son concours aux partisans d'Idi Amin Dada. Brennan resta plus d'un an en Ouganda et il travailla à l'élection d'Amin à la présidence de l'Organisation de l'Unité africaine.

Les succès de Brennan attirèrent sur Rome l'attention des satanistes du monde entier. La congrégation de Rome devint le centre politique et spirituel de la secte. Rome était donc tout à la fois le centre du catholicisme, le bastion du communisme occidental et le centre mondial du satanisme.

C'est alors que les symboles bibliques se réalisèrent et désignèrent le moment où l'histoire de la Terre allait irrévocablement changer. Pour la troisième fois depuis la création de la planète, le Malin allait vomir sa progéniture infâme et confier à ses disciples le soin de l'amener à maturité. Déjà deux tentatives avaient échoué; les gardiens du Christ avaient découvert la Bête et l'avaient tuée avant qu'elle ne devienne puissante. Cette fois-ci, la tentative n'échouerait pas. Tout était parfaitement préparé.

Personne ne s'étonna que Spilletto choisisse Brennan pour faire partie des trois adeptes qui devaient mener à bien ce projet capital. Le petit prêtre était érudit, fidèle et dévoué; de plus, il obéissait aux ordres sans la moindre hésitation et sans l'ombre d'un remords. C'est pourquoi on lui confiait la tâche la plus terrible : le meurtre d'un innocent, qui faisait obligatoirement partie du complot. Spilletto choisirait une famille et effectuerait la substitution de l'enfant. B'aalock, qui s'appelait maintenant sœur Maria Theresa, surveillerait la fécondation et la naissance. Ensuite, Brennan ferait disparaître toute trace compromettante et veillerait à ce que le petit cadavre soit enterré en terre sacrée.

Brennan accepta de bon cœur la mission qui lui était confiée car il pressentait que son nom entrerait ainsi dans l'Histoire : on se souviendrait de lui et on le vénérerait. Lui, jadis pauvre orphelin rejeté de tous, comptait maintenant parmi les Elus dans l'alliance avec le Démon. Mais pendant les jours qui précédèrent l'événement, Brennan ressentit des troubles étranges : ses forces diminuaient, les cicatrices de son dos le faisaient souffrir, et il n'arrivait plus à trouver le sommeil. Cinq nuits durant, il se tourna et se retourna sur sa couche, essayant de chasser les hallucinations qui hantaient son esprit. En buvant, il finit par tomber dans un sommeil tourmenté par d'horribles cauchemars.

Il vit Tobu, le jeune Africain, l'implorant, le suppliant de venir à son secours. Et il vit le visage d'un homme écorché : les orbites béaient au-dessus des muscles mis à nu, la bouche sans lèvres criait grâce. Il se vit enfant, attendant sur la plage le retour de son père, puis il vit sa mère sur son lit de mort : elle le suppliait de lui pardonner de mourir, de le laisser seul et de l'abandonner tout enfant à son triste sort. Cette nuit-là, il se réveilla en pleurant et suppliant lui aussi qu'on le pardonne. Et quand il sombra à nouveau dans le sommeil, le visage du Christ lui apparut et lui assura qu'il serait pardonné, pourvu qu'il montre du repentir.

Ces cauchemars avaient éprouvé Brennan. Spilletto, décelant chez lui une tension inhabituelle, demanda à le voir pour savoir ce qui le tracassait. Mais Brennan était trop engagé maintenant; il savait qu'il risquait sa vie s'il montrait le moindre doute. Aussi assura-t-il à Spilletto qu'il tenait absolument à remplir la mission qui lui avait été confiée, malgré les douleurs de son dos qui le tourmentaient ces jours-ci. Spilletto lui donna un remède pour le soulager. A partir de ce moment-là jusqu'à l'instant décisif, Brennan, sous l'empire de la drogue, demeura dans une sorte d'état second et les troublantes apparitions du Christ cessèrent.

Dans la nuit du 6 juin, le sixième mois, le sixième jour, la sixième heure, il se produisit un événement qui devait hanter Brennan jusqu'à la fin de ses jours. Au plus fort de l'accouchement, la mère s'était mise à gémir; sœur Maria Theresa l'avait fait taire au moyen d'un tampon imbibé d'éther tandis que l'enfant colossal s'arrachait à ses entrailles. Armé d'une pierre que lui avait donnée Spilletto, Brennan avait achevé l'œuvre de la sœur : il avait réduit en bouillie le crâne du chacal, se préparant ainsi à ce qu'il devait perpétrer sur le petit humain. Mais lorsqu'un peu plus tard on lui apporta le nouveau-né, il hésita, car l'enfant était d'une beauté merveilleuse. Il contempla les deux petits êtres que l'on avait mis côte à côte : l'un était couvert de poils et maculé de sang, l'autre avait une peau blanche et douce. Il savait ce qui lui restait à faire : il le fit, mais mal. Il dut recommencer : il sanglota en ouvrant le petit cercueil pour frapper une fois de plus l'enfant des Thorn. L'espace d'un instant il eut envie de saisir le nouveau-né dans ses bras et de courir loin, très loin, jusqu'à ce qu'il trouve un abri sûr. Mais il vit que le bébé était déjà mortellement blessé. Alors la pierre s'abattit de nouveau, et encore, et encore, jusqu'à ce que le petit corps reste complètement inerte. Personne ne vit que Brennan pleurait; d'ailleurs, à partir de cet instant, aucun des membres de la congrégation ne le revit jamais. Il quitta Rome le lendemain même et se cacha pendant quatre ans. Il alla en Belgique, vécut chichement, se débrouilla pour se procurer des médicaments pour calmer les douleurs de son dos, et surtout pour atténuer l'horrible souvenir de ce qu'il avait fait. Il vivait seul, ne parlait à personne et devint complètement infirme. Quand il se résolut enfin à entrer à l'hôpital, le diagnostic fut vite établi : les douleurs de son dos provenaient d'une tumeur maligne et inopérable, située dans la moelle épinière.

Maintenant que Brennan se mourait, il désirait ardemment obtenir le pardon du Christ. Dans son immense bonté, Dieu pardonnerait. Et Brennan voulait racheter son pardon en essayant de réparer le mal qu'il avait fait.

Rassemblant le peu de forces qui lui restait, il se rendit en Israël, emportant huit flacons de morphine pour calmer la douleur lancinante de son dos. Il rechercha un homme appelé Bugenhagen, dont le nom était lié à celui de Satan depuis les temps les plus reculés. C'est Bugenhagen qui, en 1092, avait découvert et fait périr le premier descendant de Satan. C'est un autre Bugenhagen qui, en 1710, découvrit le deuxième fils de Satan et le réduisit à l'impuissance. Les Bugenhagen étaient des fanatiques, véritables gardes du Christ, qui veillaient à ce que le Malin ne règne jamais sur le monde.

Brennan chercha pendant sept mois le dernier Bugenhagen : il vivait dans les ténèbres d'une ancienne citadelle ensevelie. Comme Brennan, il attendait la mort, torturé par les infirmités de la vieillesse et par la honte de son échec. Il savait que Satan préparait la venue de son fils dans le monde et il n'était pas en mesure de l'en empêcher.

Brennan passa six heures avec le vieillard. Il lui raconta les terribles actes de la confrérie et le rôle qu'il y avait joué. Bugenhagen fut désespéré d'entendre le prêtre le supplier d'intervenir, car il ne pouvait absolument rien faire. Il se terrait dans sa forteresse et n'osait s'aventurer au-dehors. Il conseilla à Brennan de lui envoyer quelqu'un qui puisse approcher l'enfant.

Brennan, sachant sa mort prochaine, se rendit immédiatement à Londres pour convaincre Thorn de consulter Bugenhagen. Il priait Dieu de veiller sur lui et craignait que Satan ne le surprenne. Mais il connaissait les voies du Démon, et il s'entoura de mille précautions pour accomplir sa mission. S'il y parvenait, il obtiendrait le pardon de ses péchés et entrerait dans le Royaume des Cieux.

Il loua une chambre dans Soho et la transforma en une forteresse aussi sûre qu'une église. Ses armes défensives étaient les Ecritures : il tapissa chaque centimètre carré de mur et de fenêtre avec des pages de la Bible. Il déchira soixante-dix Bibles pour couvrir toute la chambre. Partout, il suspendit des croix. Jamais il ne sortait sans porter au cou un crucifix sur lequel il avait collé de minuscules morceaux de miroir, pour qu'ils puissent réfléchir le soleil.

Son but était difficile à atteindre et les douleurs de son dos l'épuisaient de plus en plus. L'entrevue dans le bureau de Thorn avait été un échec : il avait effrayé l'ambassadeur et s'était fait brutalement renvoyer. De plus en plus désespéré, il suivait Thorn partout maintenant, et ce jour-là, séparé de l'ambassadeur par de simples chaînes, il le regardait inaugurer un chantier de logements dans un quartier pauvre de Chelsea.

— Je suis fier d'inaugurer ce chantier, hurla Thorn pour dominer le vent et se faire entendre de quelque cent spectateurs, car il prouve que nous avons tous la volonté d'améliorer la qualité de la vie.

Puis il enfonça une pelle dans la terre, au son d'une polka jouée par des accordéons. Thorn et les autres personnalités se dirigèrent vers le public pour distribuer quelques poignées de mains. En politicien consommé, Thorn ne restait pas insensible à la flatterie, et il fit tout ce qui était en son pouvoir pour serrer chacune de ces mains avides. Il se baissa même pour se laisser embrasser par une fervente admiratrice, mais il se crispa soudain : une main brutalement tendue agrippait le plastron de sa chemise.

— Demain, haleta Brennan, en regardant droit dans les yeux de l'ambassadeur épouvanté. 13 heures, Kew Gardens...

— Lâchez-moi! souffla Thorn.

— Accordez-moi seulement cinq minutes, et jamais vous ne me reverrez.

— Allez-vous me lâcher!

— Votre femme est en danger, elle mourra si vous ne venez pas.

Quand Thorn se recula, le prêtre avait disparu. Abasourdi et ébloui par l'éclat des flashes, l'ambassadeur ne vit plus devant lui que des visages étrangers.

Thorn s'interrogea longuement pour savoir ce qu'il devait faire. Il pouvait évidemment prévenir la police; on arrêterait Brennan en l'accusant de poursuivre l'ambassadeur. Mais Thorn aurait à comparaître au tribunal. On interrogerait le prêtre; on divulguerait ses propos. La presse s'emparerait de l'affaire et ferait ses gros titres des élucubrations d'un fou. Tout cela était au-dessus de ses forces. S'il n'appelait pas la police, il ne lui restait plus qu'une chose à faire : envoyer un émissaire pour acheter le prêtre ou pour le menacer de poursuites; mais là encore, il fallait mêler une tierce personne à l'affaire.

Il pensa à Jennings, le photographe, et fut à deux doigts de l'appeler pour lui dire qu'il savait où joindre l'homme qu'il cherchait. Mais quoi de plus dangereux que de se confier à un journaliste! Thorn, pourtant, ressentait le besoin de partager ses soucis avec quelqu'un. Car il avait une peur terrible de ce qu'allait dire le prêtre.

Le lendemain, il prit sa voiture et roula au hasard toute la matinée, évitant soigneusement d'aller à l'ambassade de peur qu'on ne le retienne à l'heure du déjeuner. Il pensa un moment ne pas se rendre au rendez-vous fixé par le prêtre; peut-être que cette rebuffade le découragerait à jamais. Mais au fond de lui-même, il désirait cette entrevue. Il était nécessaire que Thorn voie cet homme et qu'il écoute ce qu'il avait à lui dire. Il avait prétendu que Katherine courait un danger et qu'elle mourrait s'il ne venait pas le voir. Il était impossible que Katherine soit en danger, mais cela affligeait Thorn que ce dément s'acharne sur elle aussi.

Thorn arriva à Kew Gardens à midi et demi, gara sa voiture contre le trottoir, et attendit avec anxiété. Il écouta distraitement les nouvelles à la radio, et entendit vaguement l'interminable liste des pays où régnait la discorde : Espagne, Liban, Laos, Irlande, Angola, Zaïre, Israël, Thaïlande. Pour peu que l'on ferme les yeux pour se représenter une mappemonde et s'arrêter à une région particulière, on pouvait être sûr que quelques centimètres seulement la séparaient d'un point chaud. On avait l'impression que plus l'espérance de vie de l'homme augmentait, moins la terre devenait vivable. La bombe à retardement faisait entendre le bruit de son mécanisme et, un de ces jours, elle sauterait. Toutes les nations pouvaient maintenant se procurer du plutonium, ce sous-produit de la puissance nucléaire, ce qui signifiait que même les plus petits pays pouvaient s'armer en prévision d'une guerre atomique. De toute façon, certains d'entre eux étaient acculés au suicide et n'avaient rien à perdre si, dans leur chute, ils entraînaient le reste du monde. Thorn pensa au désert du Sinaï, la Terre Promise, et il se demanda si Dieu savait, au moment où il l'avait promis à Abraham, que ce point du globe serait l'un des plus troublés et des plus dangereux.

Il regarda la montre du tableau de bord : il était 1 heure. Rassemblant son courage, il se dirigea lentement vers le parc. Pour éviter d'être reconnu, il avait mis des lunettes noires et un imperméable, mais cette tenue anonyme ajoutait encore à son malaise. Il chercha des yeux la silhouette du prêtre : quand il l'aperçut enfin, il sentit son sang se glacer dans ses veines et dut réprimer une violente envie de fuir. Brennan était assis seul sur un banc. Il aurait été facile pour Thorn de partir sans être vu mais, au lieu de cela, il fit un détour pour arriver face au prêtre.

Il sursauta quand il aperçut tout à coup Thorn. Il avait le visage crispé et inondé de sueur, comme s'il souffrait terriblement. Les deux hommes se dévisagèrent d'abord longuement en silence.

– J'aurais dû appeler la police, dit sèchement Thorn.

– Cela n'aurait servi à rien.

– Allez-y! Dites ce que vous avez à dire.

Brennan battit des paupières et ses mains se

mirent à trembler. Il faisait manifestement un effort inouï pour surmonter sa douleur.

– Quand les Juifs retourneront à Sion..., murmura-t-il.

– Quoi?

– Quand les Juifs retourneront à Sion, et qu'une comète traversera le ciel, et que le Saint Empire Romain redeviendra puissant, alors vous et moi, nous mourrons.

Thorn sentit monter sa colère. L'homme était fou. Il récitait un poème d'une voix de plus en plus aiguë, tandis qu'une expression extasiée se répandait sur son visage.

– Il montera de la mer éternelle, levant des armées sur chacun des rivages, dressant chaque homme contre son propre frère, jusqu'à ce que le genre humain soit complètement anéanti.

Thorn s'aperçut que le prêtre tremblait de tous ses membres et qu'il avait du mal à parler.

– L'Apocalypse a tout prédit, parvint-il à dire.

– Je ne suis pas venu ici pour entendre un sermon.

– C'est par l'intermédiaire d'un homme entièrement à sa dévotion que Satan accomplira son dernier et plus horrible crime. Livre de Daniel, Evangile selon saint Luc.

– Vous disiez que ma femme était en danger.

– Allez à Meggido, supplia Brennan, dans l'ancienne cité de Jezreel. Là vous verrez le vieillard Bugenhagen. Lui seul peut vous dire comment faire périr l'enfant.

– Ecoutez...

– Celui qui ne sera pas sauvé par l'Agneau, sera mis en pièces par la Bête.

– Arrêtez!

Brennan se tut; il se tassa un peu sur lui-même, et d'une main tremblante épongea les gouttes de transpiration retenues dans ses sourcils.

– Je suis venu, dit Thorn calmement, parce que vous m'avez dit que ma femme était en danger.

– J'ai eu une vision, Mr Thorn.

– Vous avez dit que ma femme...

– Elle attend un enfant.

Sidéré, Thorn ne sut que dire.

– Vous vous trompez.

– Je crois qu'elle attend un enfant.

– Non.

– Il ne permettra pas à l'enfant de venir au monde; il le tuera pendant qu'il sommeillera dans le sein de sa mère.

Brutalement déchiré par la douleur, le prêtre laissa échapper un gémissement.

– Que dites-vous? demanda Thorn dans un souffle.

– Votre fils, Mr Thorn! Le fils de Satan! Il tuera l'enfant à naître, puis il tuera votre femme. Et quand il aura la certitude d'hériter de tous vos biens, alors, Mr Thorn, il vous tuera vous aussi.

– Assez!

– ... Et grâce à vos richesses et à votre puissance, il établira son Royaume Maudit, ici, sur la Terre, et recevra ses ordres directement de Satan.

– Vous êtes fou! siffla Thorn.

– Il doit mourir, Mr Thorn!

Le prêtre haletait; Thorn, incapable de faire un geste, le regardait en silence.

– Je vous en prie, Mr Thorn, reprit le prêtre en pleurant.

– Vous m'aviez demandé cinq minutes...

– Allez à Meggido, supplia Brennan. Voyez Bugenhagen avant qu'il ne soit trop tard!

Thorn hocha la tête et, pointant un doigt tremblant en direction du prêtre :

– Jusqu'ici je vous ai écouté, dit-il d'un ton

menaçant. Maintenant c'est à vous de m'écouter. Si jamais je vous revois, je vous fais arrêter!

Faisant volte-face, il partit, tandis que Brennan lui lançait à travers ses larmes :

– Vous me reverrez en Enfer, Mr Thorn! Nous y purgerons la même peine!

L'instant d'après, Thorn avait disparu, et Brennan resta seul, la tête dans ses mains. tout était fini et il avait échoué.

Il se leva lentement et regarda autour de lui : le parc était désert et calme, d'un calme presque inquiétant. Brennan eut l'impression d'être dans le vide, comme si l'air lui-même retenait son souffle. Puis, peu à peu, il entendit le son. D'abord lointain, presque inaudible, puis s'enflant petit à petit jusqu'à déchirer l'air. C'était le son de l'OM qui allait croissant. Brennan, le souffle court, saisit son crucifix et jeta des regards inquiets autour de lui. Le ciel se plomba et un vent d'orage se leva, secouant furieusement les cimes des arbres.

Brennan, tenant à deux mains son crucifix, regagna la rue, pensant qu'il y serait plus en sûreté. Mais à peine y était-il que le vent souleva autour de lui un tourbillon de papiers et de détritus de toute sorte. Hagard, il suffoqua sous la violence de la rafale. Il vit une église de l'autre côté de la rue mais, quand il descendit du trottoir, le vent, qui soufflait maintenant en tempête, se rua sur lui. Tentant désespérément de forcer ce barrage invisible, Brennan lutta de toutes ses forces pour atteindre l'abri sacré. Au hurlement du vent s'ajoutait le bruit de l'OM qui lui crevait les tympans. Se débattant toujours contre les éléments déchaînés, Brennan, la vue obscurcie par un nuage de poussière, gémissant d'épuisement, ne vit ni n'entendit le camion qui descendait la rue : les énormes pneus grincèrent sur la chaussée, l'engin fit une embardée à quelques centimètres de lui, emboutit une file de voitures en stationnement, et s'immobilisa dans un horrible bruit de ferraille.

Le vent cessa brusquement; des gens crièrent et, ignorant Brennan, se précipitèrent vers le camion accidenté.

A travers le pare-brise ensanglanté, on voyait pendre la tête du conducteur inanimé. Un roulement de tonnerre retentit dans le ciel. Un éclair jaillit juste au-dessus de l'église. Brennan retourna vers le parc. Un autre coup de tonnerre claqua et la pluie se mit à tomber. Des gerbes d'éclairs fusèrent tout autour de Brennan qui, terrorisé, fuyait droit devant lui. Sur son passage, un gros arbre éclata, foudroyé. Hurlant de peur, il trébucha et glissa dans la boue; comme il tentait de reprendre son équilibre, un éclair frappa un banc tout près de lui : le siège de bois vola en éclats aussi menus que des allumettes. Tournoyant sur lui-même, Brennan passa à travers un buisson, courut à perdre haleine et se retrouva dans une ruelle. Mais l'éclair réapparut; cette fois, il frappa une boîte à lettres à côté du prêtre et la projeta en l'air. Elle retomba et roula au sol dans un bruit de ferraille, déchiquetée comme une vieille boîte de sardines.

Le petit prêtre poursuivit sa route d'une démarche chancelante, les yeux fixés sur le ciel en furie. La pluie, redoublant d'intensité, lui lacérait le visage, et il n'eut plus de la ville qu'une vision imprécise. D'un bout à l'autre de Londres, les gens cherchaient à se protéger de cet orage démentiel et les fenêtres se fermaient les unes après les autres.

Près de l'endroit où se trouvait Brennan, une maîtresse d'école, armée d'une perche métallique, tentait toute sorte de manœuvres pour fermer une fenêtre à guillotine dans la salle de classe. La maîtresse n'avait jamais entendu parler de Brennan et ignorait totalement que le sort du prêtre serait lié au sien. Pourtant, à ce moment-là, dans les rues luisantes et bruissantes de pluie, Brennan courait sans but. Les éclairs s'éloignaient maintenant, mais les forces lui manquaient, son cœur lui faisait mal et, en tournant au coin de la rue, il s'arrêta au pied d'un immeuble pour tenter de reprendre son souffle. Les yeux braqués sur le parc, il regardait les éclairs déchirer le ciel à chaque coup de tonnerre. Quelque chose bougea soudain, au-dessus de lui, mais il n'y prêta aucune attention. De la fenêtre du troisième étage, la perche venait d'échapper à la main de la maîtresse d'école; entraînée par son poids, la perche fendit l'air avec la netteté d'un javelot lancé vers le sol. Heurtant la tête du prêtre, elle le transperça de part en part, le clouant au sol.

Il resta là, debout, les bras ballants, telle une marionnette que l'on aurait suspendue après la représentation. L'orage cessa soudain.

La maîtresse passa la tête par la fenêtre et se mit à hurler. Dans une rue, de l'autre côté du parc, des gens sortirent de la cabine du camion retourné le cadavre du conducteur; son front portait l'empreinte ensanglantée du volant contre lequel il s'était heurté.

Tandis que les nuages noirs s'éloignaient et que les rayons de soleil inondaient à nouveau paisiblement la ville, un groupe de jeunes enfants regardaient, sans rien oser dire, la silhouette d'un prêtre piquée toute raide sur une perche. Des gouttelettes de pluie tombaient de son chapeau. Elles passaient devant son visage, qui, bouche ouverte, restait figé dans une expression de stupeur. Un taon bourdonna autour du cadavre et se posa sur ses lèvres entrouvertes.

Le lendemain matin, Horton ramassa les journaux qui avaient été déposés comme de coutume à la grille, et les apporta dans le solarium où Thorn et Katherine prenaient leur petit déjeuner. Horton remarqua que Mrs Thorn avait encore une expression tendue et les traits tirés. Cela durait depuis des semaines, et ne faisait qu'empirer depuis qu'elle allait régulièrement consulter un psychiatre à Londres. En la conduisant à ses rendez-vous, il avait d'abord cru qu'elle se rendait chez un généraliste, mais en regardant la liste des noms dans l'entrée de l'immeuble, il avait vu que ce fameux Dr Greer était un psychiatre. Horton, lui, n'avait jamais ressenti le besoin de consulter un psychiatre, pas plus qu'aucune de ses connaissances. Horton appréciait peu ce genre de médecins. Ils étaient tout juste bons, disait-il, à rendre les gens complètement fous. Il suffisait de lire les journaux : la plupart du temps, les auteurs des crimes les plus horribles étaient passés entre les mains d'un psychiatre; la relation de cause à effet était évidente. Le comportement de Mrs Thorn ne faisait que renforcer sa conviction : elle était parfois d'une humeur charmante quand il la conduisait en ville, mais après chaque séance elle restait muette et maussade pendant tout le retour.

Depuis qu'elle avait commencé son traitement, son caractère s'assombrissait de jour en jour. Ses rapports avec les domestiques se bornaient à quelques ordres très brefs, et elle ne voyait presque plus son fils. Pourtant ses efforts pour gagner l'affection de Damien avaient pleinement réussi. L'enfant recherchait maintenant la compagnie de sa mère, mais il n'arrivait plus jamais à être seul avec elle.

Le traitement que suivait Katherine l'avait complètement bouleversée. Le psychiatre l'avait forcée à aller au fond des choses; sous les craintes qu'elle croyait superficielles, elle avait découvert en elle un gouffre de désespoir et d'angoisse. Elle se rappelait très bien ce qu'elle avait l'habitude de faire et de vouloir faire autrefois, mais elle avait perdu toute volonté et ne voyait pas du tout ce qu'elle allait devenir. La moindre chose l'emplissait d'épouvante : la sonnerie du téléphone, des bruits de casserole, une porte qui claque. Elle en était à un point où tout l'irritait. Il lui fallait beaucoup de courage pour se dominer à chaque instant.

Ce jour-là, il lui en fallait encore plus que d'habitude car elle avait une chose grave à dire à son mari. Il fallait absolument qu'elle le voie seul, ce qu'elle redoutait, et pour tout compliquer l'enfant était là. Il avait pris l'habitude de rester près d'elle le matin, pour essayer d'attirer son attention : aujourd'hui, il tournait bruyamment autour d'elle dans sa petite voiture à pédales, heurtait sa chaise le plus souvent possible, et s'efforçait d'imiter le sifflement d'un train.

— Mrs Baylock? appela Katherine.

Thorn, assis en face d'elle, était en train de déplier son journal et il sursauta en sentant de la colère dans la voix de son épouse.

— Qu'est-ce qui se passe?

— Damien! Je ne peux plus supporter ce tintamarre.

— Ce n'est pas si terrible.

La grosse femme entra précipitamment.

— Madame?

— Emmenez-le, ordonna Katherine.

— Mais il joue, tout simplement, objecta Thorn.

— Je vous ai dit de l'emmener!

— Bien, madame, répondit Mrs Baylock.

Elle prit Damien par la main et ils quittèrent la pièce. En partant, l'enfant se retourna vers sa mère avec un regard peiné; Thorn s'en aperçut et en fut très contrarié. Katherine tenait les yeux baissés sur sa tasse.

– Pourquoi avons-nous eu un enfant, Katherine?
– Pour faire bien, répondit-elle.
– ... Quoi?
– Comment aurions-nous pu ne pas avoir d'enfant, Robert? A-t-on jamais entendu parler d'un couple parfait sans enfant?
Thorn, inquiet du ton qu'elle avait pris, ne répondit rien.
– N'ai-je pas raison? Nous n'avons jamais imaginé ce que ce serait que d'élever un enfant. Nous avons seulement pensé aux photos qu'on verrait dans les journaux.
Thorn, sidéré, la dévisagea; elle soutint avec calme son regard.
– C'est vrai, n'est-ce pas?
– Est-ce ainsi que te soigne ton psychiatre?
– Oui.
– Alors, je crois qu'il est grand temps que je lui dise deux mots.
– Si tu veux. D'ailleurs, il a quelque chose à te dire lui aussi.
Elle parlait posément et sans aucune passion. Thorn appréhendait la suite de la discussion.
– A quel sujet? demanda-t-il.
– Nous avons un problème, Robert.
– ... Vraiment?
– Je ne veux plus avoir d'enfant. Jamais.
Thorn la regarda intensément et attendit qu'elle s'explique.
– Tu es d'accord, Robert?
– Si c'est vraiment ton désir.
– Alors, tu ne vois aucun inconvénient à un avortement?
Le sang de Thorn se glaça dans ses veines; il resta sans voix, complètement stupéfait :
– J'attends un enfant, Robert. Je le sais depuis hier matin.

Il se fit un long silence. Thorn était pris de vertige.
– Tu m'entends? demanda Katherine.
– Comment cela se peut-il? murmura Thorn.
– C'est le stérilet. Il y a toujours un risque.
– Tu attends un enfant? demanda-t-il d'une voix affaiblie par l'émotion.
– Oui.
Thorn, le visage blême, n'osait pas regarder Katherine.
– L'as-tu dit à quelqu'un?
– Seulement au Dr Greer.
– En es-tu sûre?
– Que je ne veux pas le garder?
– Non, que tu l'attends.
– Absolument.
Thorn restait immobile, les yeux perdus dans le vague. A côté de lui, le téléphone sonna; mécaniquement, il décrocha.
– Allô? (Il ne reconnaissait pas la voix.) Oui, lui-même. (Une expression soucieuse se peignit sur ses traits et il regarda Katherine.) Quoi? Qui est à l'appareil? Allô?
Son correspondant avait raccroché. Thorn ne fit pas un geste mais ses yeux trahissaient son angoisse.
– Qu'est-ce que c'était? demanda Katherine.
– Quelque chose à propos des journaux...
– A propos des journaux?
– Un inconnu qui m'invite à lire les journaux de ce matin.
Lentement, il déplia le journal qui était devant lui. Une photo, en première page, lui sauta aux yeux. Il frissonna.
– Qu'y a-t-il? s'enquit Katherine. Qu'est-ce qui ne va pas?
Mais il était incapable de répondre. Elle saisit le

journal et aperçut la photo : c'était un prêtre, transpercé par une perche, au-dessous de laquelle on lisait le titre : « Mort tragique d'un prêtre ».

Katherine regarda son mari et vit qu'il tremblait de tous ses membres; très émue, elle lui prit la main.

– Bob?

Thorn se leva et se dirigea vers la porte d'une démarche pesante.

– Tu le connaissais? demanda Katherine.

Il ne répondit pas. Elle regarda à nouveau la photo et tandis qu'elle lisait l'article, elle entendit la voiture de Thorn démarrer et s'éloigner sur la route.

« Pour Mrs James Akrewian, institutrice à l'école de l'archevêché, la journée avait commencé comme d'habitude. Quand l'orage éclata, Mrs Akrewian s'apprêtait à faire lire ses élèves à haute voix. Bien que la pluie n'entrât pas par la fenêtre, elle préféra la fermer à cause du bruit qui régnait dehors. Plusieurs fois, elle s'était plainte de ces fenêtres fort anciennes et mal commodes. Même juchée sur un tabouret, elle avait du mal à les fermer avec sa perche. Ce jour-là, comme elle n'arrivait pas à atteindre l'anneau du vasistas, elle passa le bâton à l'extérieur et tenta de tirer sur le bord inférieur du châssis. La perche glissa, lui échappa et tomba dans la rue où elle heurta un passant qui s'était sans doute abrité de la pluie au pied de l'immeuble. En attendant que la famille soit prévenue, la police refuse pour l'instant de dévoiler l'identité de la victime. »

Katherine comprenait mal ce qui avait pu bouleverser Thorn dans tout cela. Elle téléphona à l'ambassade et demanda qu'il l'appelle dès son arrivée. Apparemment, il n'était pas allé à l'ambassade, car à midi il n'avait toujours pas rappelé. Elle téléphona ensuite à Greer, son psychiatre, mais il était occupé et elle ne put lui parler. Puis, elle téléphona à l'hôpital et prit un rendez-vous pour se faire avorter.

9

Dès qu'il avait vu la photo, Thorn s'était précipité à Londres. Il conduisait vite tout en tâchant d'ordonner les idées qui se bousculaient dans son esprit : le prêtre avait vu juste, Katherine attendait un enfant. Maintenant, il ne pouvait plus faire fi des propos de Brennan. Il essayait de se rappeler les moindres détails de leur rencontre : les noms, l'endroit où Brennan lui avait conseillé de se rendre. Il tentait de se calmer, de peser objectivement chaque événement de la matinée : la conversation avec Katherine, le coup de fil anonyme. « Lisez les journaux », lui avait dit la voix. Cette voix lui était familière mais Thorn n'arrivait pas à l'identifier. Qui donc savait qu'il était en relation avec le prêtre? Le photographe. C'était sa voix! C'était Haber Jennings.

Il se rendit à son bureau, s'y enferma et demanda à la secrétaire d'appeler Jennings. Un répondeur automatique lui apprit que le photographe était sorti; Thorn recomposa lui-même le numéro pour entendre le message enregistré. Oui, c'était bien la voix de celui qui avait téléphoné ce matin. Pourquoi le photographe ne s'était-il pas fait connaître? Quel jeu jouait-il?

Thorn fut ensuite averti du message de Katherine, mais il ne voulut pas la rappeler aussitôt. Elle désirait sûrement lui parler de son avortement et il ne se sentait pas disposé à en discuter.

« Il le tuera. » L'avertissement du prêtre résonnait encore dans la tête de Thorn. « Il le tuera tandis qu'il sommeillera dans le sein de sa mère. »

Thorn téléphona rapidement au Dr Greer pour l'avertir qu'il venait le voir de toute urgence.

La visite de Thorn ne surprit nullement Greer car il s'était bien aperçu que l'état de Katherine empirait. Elle oscillait perpétuellement entre l'angoisse et le désespoir. Depuis que le médecin connaissait Katherine, il l'avait vue plusieurs fois franchir cette ligne de démarcation. Il craignait que, sous l'empire d'une terreur incontrôlée, elle n'attente à sa vie.

– On ne mesure jamais la profondeur de ce genre d'angoisse, dit-il à Thorn. Mais franchement, je dois vous avouer que Mrs Thorn va droit au-devant de troubles émotionnels graves.

Thorn, très crispé, s'adossa à sa chaise tandis que le jeune psychiatre faisait les cent pas dans la pièce tout en tirant sur sa pipe.

– J'ai déjà vu des cas semblables, poursuivit-il. C'est comme un cheval qui s'emballe. Vous ne pouvez plus l'arrêter.

– Voulez-vous dire que son état s'aggrave? s'inquiéta Thorn.

– Disons que les choses suivent leur cours.

– Ne pouvez-vous rien tenter?

– Je la vois deux fois par semaine, mais je crois qu'elle a besoin qu'on la suive de plus près.

– Essayez-vous de me faire comprendre qu'elle est folle?

– Disons qu'elle se forge une foule d'idées bizarres et terrifiantes, et qu'elle obéit à cette terreur.

– Quel genre d'idées?

Greer marqua un temps, se demandant s'il devait en dire plus. Il s'assit lourdement sur son siège et s'aperçut du regard désespéré que lui jetait Thorn.

— D'abord, elle s'imagine que son fils n'est pas vraiment d'elle.

Les mots claquèrent dans la tête de Thorn comme un coup de tonnerre. Il resta paralysé, incapable de réagir.

— A vrai dire, j'interprète cela comme un souhait plutôt qu'une crainte. Inconsciemment, elle désire ne pas avoir d'enfant. Et c'est une façon d'arriver à ses fins; au moins au niveau imaginaire.

Abasourdi, Thorn ne savait que dire.

— Je ne veux pas dire par là que l'enfant n'est pas important à ses yeux, reprit Greer. Au contraire, c'est ce qui tient le plus de place dans sa vie. Mais il représente pour elle une véritable menace. Je n'arrive pas à savoir si sa peur est liée à la maternité ou aux liens affectifs que cela implique, ou au sentiment de ne pas être une bonne mère. De n'être pas à la hauteur de la situation.

— Mais elle désirait vraiment cet enfant, parvint à dire Thorn.

— Pour vous.

— Non.

— Si, inconsciemment. Elle éprouvait le besoin de se montrer digne de vous. Quel meilleur moyen que de vous donner un enfant?

De plus en plus désemparé, Thorn regardait droit devant lui.

— Maintenant, elle est dépassée; alors elle se cherche des excuses. Elle imagine que l'enfant n'est pas d'elle, que c'est un démon...

— ... Quoi?

— Elle se sent incapable de l'aimer, ajouta Greer, alors elle cherche à prouver qu'il ne mérite pas son amour.

— Elle croit que l'enfant est un démon?

Profondément bouleversé, Thorn avait le visage pétrifié de frayeur.

— Actuellement, il vaut mieux qu'elle réagisse de la sorte, expliqua Greer. Mais à ce stade, un autre enfant serait une catastrophe.

— De quelle manière... un démon?

— Pure imagination. Comme cette idée que l'enfant n'est pas d'elle. Il n'y a pas lieu de vous désespérer.

Thorn prit une profonde inspiration et refoula un haut-le-cœur.

— Docteur...

— Oui?

Mais il fut incapable de poursuivre, et les deux hommes restèrent longtemps à se dévisager en silence.

— Vous vouliez me dire quelque chose? demanda Greer, au bout d'un moment.

Le médecin remarqua combien son visiteur avait peur de parler.

— Mr Thorn? Qu'est-ce qui ne va pas?

— J'ai peur, murmura Thorn.

— Bien sûr que vous avez peur.

— Je veux dire... j'ai horriblement peur.

— C'est normal.

— Il m'arrive quelque chose d'affreux.

— Oui, mais vous vous en sortirez tous les deux.

— Vous ne comprenez pas.

— Oh, si!

— Non.

— Croyez-moi, je comprends.

Thorn, au bord des larmes, cacha sa tête dans ses mains.

— Vous êtes surmené, Mr Thorn; sûrement beaucoup plus que vous ne croyez.

— Je ne sais plus quoi faire, gémit Thorn.

— D'abord, vous devez l'autoriser à se faire avorter.

Thorn releva la tête et regarda Greer dans le blanc des yeux.
– Non! dit-il.
Le psychiatre eut un mouvement de surprise :
– Si ce sont vos principes religieux...
– Non.
– Mais vous voyez sûrement la nécessité...
– Je ne le ferai pas, dit Thorn d'un air résolu.
– Il le faudra.
– Non.
Greer se renversa sur son siège et regarda l'ambassadeur avec consternation.
– J'aimerais savoir pourquoi, dit-il très calmement.
Sans ciller, Thorn répondit :
– On m'a prédit que cette grossesse serait interrompue, et je lutterai de toutes mes forces pour qu'elle ne le soit pas.
Le médecin le dévisagea, perplexe et visiblement choqué.
– J'imagine très bien ce que vous pensez, et peut-être suis-je fou.
– Pourquoi dites-vous cela?
Thorn le regarda durement et murmura entre ses dents :
– Parce que cette grossesse doit arriver à son terme pour m'empêcher de croire.
– De croire...?
– Comme le croit ma femme, que l'enfant est...
Le mot lui resta dans la gorge et il se leva, persuadé soudain qu'il était urgent de partir. Une prémonition venait soudain de l'envahir : il sentait que quelque chose d'affreux allait se produire dans un instant. Il fallait qu'il rentre immédiatement.
– Mr Thorn...
– Pardonnez-moi!
– ... Je vous en prie, asseyez-vous.

Thorn fit un brusque signe de tête, quitta la pièce et se précipita dans l'escalier qui le conduisait à l'air libre. Une fois dans la rue, il se mit à courir, en proie à une peur panique qui croissait à mesure qu'il approchait de sa voiture et qu'il fouillait ses poches à la recherche des clefs. Quelque chose n'allait pas, il fallait qu'il rentre immédiatement à la maison. Ecrasant l'accélérateur, il fit un demi-tour sur les chapeaux de roues et les pneus hurlèrent, tandis qu'il prenait la route de Pereford. Thorn était à une demi-heure de chez lui et il craignait, sans savoir pourquoi, d'arriver trop tard. Les rues de Londres étaient encombrées, comme chaque après-midi; il klaxonnait frénétiquement, faisait des embardées, brûlait des feux rouges, envahi d'un immense désespoir.

A Pereford, Katherine, elle aussi, ressentait cette angoisse et, pour calmer sa peur grandissante, elle vaquait à des travaux ménagers. Sur le palier du second, un broc en main, elle se demandait comment atteindre les plantes vertes suspendues juste au-dessus de la balustrade : elle voulait les arroser mais craignait de répandre de l'eau sur le carrelage du hall, deux étages plus bas. Derrière elle, dans la salle de jeu, Damien jouait toujours avec sa voiture à pédales, imitant le bruit d'une locomotive, un bruit qui allait s'intensifiant à mesure que le gros jouet prenait de la vitesse. Hors du champ de vision de Katherine, Mrs Baylock était debout dans un coin de la pièce, immobile et les yeux clos, comme en prière.

Les pneus crissèrent sur la chaussée, quand Thorn prit sèchement le virage à l'intersection de la grand-route et de la M 40, qui menait directement à la propriété. Tandis que le macadam défilait à toute allure sous ses yeux, le visage de Thorn reflétait une tension nerveuse intense, ses mains se crispaient sur le volant et chaque fibre de son corps se tendait comme pour faire avancer la voiture plus vite encore. Elle fonçait sur la route, telle une comète beige, et doublait les autres véhicules qui semblaient rester sur place. Thorn, trempé de sueur, voyait en chaque voiture une cible à dépasser; elles se rangeaient sur le côté, les unes après les autres, sous l'effet de ses véhéments coups de klaxon. Il pensa que la police de la route risquait de le poursuivre et jeta un coup d'œil dans son rétroviseur : il aperçut alors derrière lui une grosse voiture noire. C'était un corbillard. Il le talonnait et allait bientôt le dépasser. La peur décomposa le visage de Thorn.

A Pereford, Damien pédalait de plus en plus vite dans sa petite voiture. Sur le palier, Katherine grimpa sur un tabouret. Dans la salle de jeux, Mrs Baylock regarda intensément l'enfant comme pour l'encourager à accélérer encore, et le petit garçon, les yeux fous, le visage tordu par une joie hystérique, accéléra de plus belle.

Dans sa voiture, Thorn écrasait l'accélérateur. Le corbillard, dont le conducteur regardait froidement devant lui, se rapprochait sans merci. Thorn jeta un coup d'œil au compteur : l'aiguille passa de quatre-vingt-dix miles à cent dix, mais le corbillard suivait toujours. Thorn haletait d'épuisement. Il n'était plus tout à fait lucide. Il luttait aveuglément pour ne pas se laisser dépasser. Le moteur de la Mercedes cliquetait sous le capot, tandis que le corbillard amorçait la manœuvre de dépassement.

— Non! gémit Thorn. Non...!

Les deux véhicules étaient maintenant côte à côte; le corbillard gagnait toujours du terrain. Thorn martelait son volant comme pour forcer la voiture à aller plus vite; mais le corbillard le dépassait, et par la vitre arrière, Thorn aperçut un cercueil.

Chez les Thorn, Damien lançait toujours plus vite

son bolide, heurtant les murs et dérapant dans les virages dans un bruit d'enfer. Katherine, debout sur son tabouret, tenant son broc à bout de bras, tentait d'atteindre les fleurs.

Sur la route, le corbillard dépassa d'un seul coup la voiture de Thorn, qui poussa un cri d'horreur. Au même instant, la voiture de Damien déboucha brusquement de la salle de jeux et heurta de plein fouet le tabouret de Katherine. Déséquilibrée, elle bascula par-dessus la balustrade. Hurlant d'épouvante, elle tomba dans le vide en battant des bras pour tenter de se retenir à quelque chose, effleura un bocal de poissons rouges qui se trouvait sur le palier et l'entraîna dans sa chute. Son cri de terreur s'arrêta net quand elle heurta le sol; une seconde plus tard, un bruit d'explosion retentit : l'aquarium éclatait en mille morceaux scintillants. Katherine gisait immobile et muette; à côté d'elle, sur le froid carrelage, un joli poisson rouge frétillait encore.

Quand Thorn arriva à l'hôpital, les journalistes, déjà alertés, le mitraillèrent de leurs flashes et l'assaillirent de questions, tandis qu'il se débattait pour atteindre la porte où était mentionné : URGENCES.

A Pereford, il avait trouvé Mrs Baylock dans un état proche de la folie. Elle avait tout juste été capable de lui dire que Katherine était tombée et qu'on l'avait emmenée en ambulance à l'hôpital de la Cité.

— Est-ce grave, Mr Thorn? hurla un reporter.

— Laissez-moi passer.

— On nous a dit qu'elle avait fait une chute.

— Poussez-vous.

— Est-elle en danger?

Il atteignit enfin une porte à tambour et la voix des reporters se perdit dans le lointain à mesure qu'il traversait le grand hall.

— Monsieur l'ambassadeur?

– Oui?

Un médecin se dirigeait rapidement vers lui.

– Je m'appelle Becker, dit-il.

– Comment va-t-elle? demanda Thorn très inquiet.

– Elle s'en sortira. Elle a fait une très mauvaise chute. Elle est fortement commotionnée. Elle a une fracture de la clavicule et une hémorragie interne.

– Elle attend un enfant.

– Hélas! non. La chute a provoqué une hémorragie et l'enfant est perdu. Je voulais faire un examen mais votre bonne avait tout nettoyé avant notre arrivée.

Thorn frissonna et s'appuya au mur.

– Evidemment, poursuivit le médecin, nous ne parlerons pas des circonstances de cette chute. Mieux vaut que les gens ne sachent rien.

Le médecin vit que Thorn ne le comprenait pas.

– Vous savez bien qu'elle a sauté.

– ... Sauté?

– Du second étage, d'après ce que j'ai compris; la gouvernante et l'enfant l'ont très bien vue faire.

Thorn, complètement anéanti, tourna la tête contre le mur. Aux soubresauts de ses épaules, le médecin comprit qu'il pleurait.

– Dans ce genre de chute, c'est généralement la tête qui prend le choc. Si bien que dans un sens, vous avez eu de la chance.

Thorn fit un signe de tête en essayant de refouler ses larmes.

– Il ne faut pas vous mettre dans cet état, reprit le médecin. Il faut au contraire remercier le Ciel qu'elle soit encore en vie. Si elle est bien soignée, jamais elle ne recommencera. Ma propre belle-sœur a tenté de se suicider; elle s'était fait couler un bain et avait mis le grille-pain dedans. Quand elle a abaissé la manette, elle s'est électrocutée.

Thorn se tourna vers lui et lui lança un long regard.

– Vous savez, elle n'a jamais recommencé. Il y a quatre ans de cela et elle va très bien maintenant.

– Où est-elle? s'enquit Thorn.

– Elle vit en Suisse.

– Ma femme?

– Chambre 4A. Elle ne tardera pas à se lever.

Katherine reposait dans une chambre calme et sombre, sous la garde d'une infirmière qui, assise dans un coin de la pièce, lisait une revue. Thorn s'arrêta net sur le seuil, bouleversé. Katherine était dans un état lamentable, la figure enflée et livide; elle avait un tube de perfusion fixé au poignet, et son bras droit était plâtré jusqu'à l'épaule.

– Elle dort, dit l'infirmière.

Thorn s'approcha du lit. Comme si elle sentait sa présence, Katherine gémit et tourna lentement la tête.

– Souffre-t-elle? demanda Thorn d'une voix tremblante.

– Elle est encore inconsciente, répondit l'infirmière. Anesthésie générale au pentothal.

Thorn s'assit près du lit, et, posant la tête sur le drap, il se mit à pleurer. Au bout d'un certain temps, il réalisa que la main de Katherine lui effleurait les cheveux.

– Bob..., chuchota-t-elle.

Elle essayait d'ouvrir les yeux.

– Kathy! souffla-t-il d'une voix étouffée par les larmes.

– Empêche-le... de... me tuer.

Puis elle referma les yeux et s'endormit.

Il était minuit passé quand Thorn rentra chez lui. Dans le hall à peine éclairé, il contempla longuement l'endroit du carrelage où Katherine était tombée. Il se sentait complètement engourdi, brisé de fatigue, et il mourait d'envie de dormir, de faire n'importe quoi, pour oublier l'horrible malheur qui venait d'arriver. Leur vie avait changé maintenant, irrémédiablement, comme s'ils étaient frappés d'une malédiction.

Thorn éteignit les lumières du rez-de-chaussée, et resta un moment dans le noir. Puis, s'accoutumant à l'obscurité, il leva les yeux et regarda l'endroit précis d'où Katherine s'était jetée. Il tenta d'imaginer Katherine, debout là-haut, prête à sauter dans le vide. Si elle désirait vraiment en finir avec la vie, pourquoi n'avait-elle pas choisi le toit? Il y avait aussi des médicaments dangereux dans la maison, des lames de rasoir, mille autres moyens de se tuer. Alors pourquoi celui-ci? Et pourquoi juste devant Damien et Mrs Baylock?

L'avertissement du prêtre lui revint en mémoire : « Il tuera l'enfant à naître tandis qu'il sommeille dans le sein de sa mère. Puis il tuera votre femme, et quand il sera sûr d'hériter de tous vos biens... » Il ferma les yeux et tenta de chasser cette horrible prédiction de son esprit. Il pensa à Brennan, mort sur la perche, au coup de téléphone de Jennings, à sa terreur irraisonnée quand le corbillard l'avait doublé sur la route. Le psychiatre avait raison, il était surmené et son comportement le prouvait. L'angoisse de Katherine avait déteint sur lui : ses fantasmes étaient contagieux en quelque sorte. Il ne pouvait plus se permettre de se laisser aller ainsi. Maintenant, plus que jamais, il devait garder la tête froide et agir rationnellement.

Se sentant réellement fatigué, il gravit les escaliers, et, toujours dans le noir, se dirigea vers sa chambre. Après une nuit de sommeil, il serait sûrement plus en forme et plus lucide.

Arrivé au seuil de sa chambre, il s'arrêta et

regarda longuement la porte de Damien, de l'autre côté du grand hall obscur. La douce lumière de la veilleuse filtrait sous la porte. Thorn imagina le visage innocent de l'enfant endormi. Il eut envie de le contempler pour se persuader qu'il n'y avait aucune raison d'avoir peur. Mais le spectacle qu'il découvrit en entrouvrant la porte le fit frissonner : l'enfant dormait, mais il n'était pas seul. Mrs Baylock, les bras croisés, les yeux perdus dans le vague, était assise d'un côté du lit, et, de l'autre, se découpait l'épaisse silhouette d'un molosse. C'était le chien dont il lui avait dit de se débarrasser : il était là, comme s'il veillait sur le sommeil de l'enfant. Le souffle court, Thorn referma sans bruit la porte et gagna sa chambre. Il se tint sur le seuil, immobile, essayant de respirer normalement et réalisant parfaitement qu'il tremblait de tous ses membres.

Le silence fut soudain déchiré par la sonnerie du téléphone : il courut jusqu'à sa table de nuit et décrocha :

– Ici Jennings, dit une voix. Vous savez, celui dont vous avez brisé l'appareil photo.

– Oui.

– Je suis au coin de Grosvenor et Fifth, à Chelsea, et je crois que vous feriez bien de venir tout de suite.

– Que voulez-vous?

– Il vient d'arriver quelque chose, Mr Thorn. Quelque chose qu'il faut que vous sachiez.

Jennings habitait un quartier pauvre où Thorn eut énormément de mal à se diriger. Il pleuvait, la visibilité était presque nulle et il était sur le point d'abandonner ses recherches quand il remarqua une lueur rougeâtre en haut d'une sorte de tourelle surplombant la rue. Jennings, qui l'attendait à la fenêtre, lui fit des signes, puis, se rendant compte qu'il aurait dû mettre un peu d'ordre dans son logis avant de recevoir cet hôte de marque, il se dépêcha de fourrer ses vêtements en vrac dans un petit débarras, et recouvrit rapidement son lit. Après quoi, il ouvrit la porte et attendit Thorn sur le palier. L'ambassadeur arriva, essoufflé d'avoir monté les cinq étages.

— J'ai un peu de cognac si vous voulez.

— Oui, avec plaisir.

Jennings alla chercher la bouteille et les verres. Thorn profita de cette absence momentanée pour se livrer à un examen rapide de la pièce : elle était à peine éclairée par une lumière rougeâtre qui provenait du minuscule cagibi où Jennings développait ses clichés et sur les murs de laquelle on pouvait voir plusieurs instantanés.

— Voilà, dit Jennings en tendant un verre à Thorn. Après cela, vous vous sentirez mieux.

Jennings s'affala sur le lit et fit signe à son hôte de s'asseoir sur un amoncellement de coussins posés sur le sol. Mais Thorn resta debout.

— A votre santé, reprit Jennings. Cigarette?

Agacé par l'attitude décontractée du photographe, Thorn fit non de la tête.

— Vous avez dit qu'il se passait quelque chose.

— C'est vrai.

— J'aimerais savoir quoi.

Jennings le dévisagea attentivement.

— Ne vous en doutez-vous pas un peu?

— Non, absolument pas.

— Alors, pourquoi êtes-vous là?

— Vous ne vouliez rien m'expliquer au téléphone.

Jennings hocha la tête et posa son verre.

— Je ne pouvais rien vous dire car c'est quelque chose qu'il faut voir de ses propres yeux.

— Qu'est-ce que c'est?

— Des photos.

Il se dirigea vers la chambre noire et fit signe à Thorn de le suivre.

– Je pensais qu'on pouvait bavarder un peu d'abord.

– Je suis très fatigué.

– Eh bien! cela va vous réveiller.

Il alluma un spot qui projeta une tache lumineuse sur toute une série de photos. Thorn entra dans la chambre noire et s'assit sur un tabouret à côté de Jennings.

– Vous les reconnaissez?

C'était les photos de la fête donnée pour l'anniversaire de Damien. Certaines représentaient des enfants sur des chevaux de bois, d'autres Katherine regardant la foule.

– Oui, répondit Thorn.

– Regardez bien celle-ci.

Jennings écarta quelques photos et en montra une de Chessa, la première nurse de Damien. Elle se tenait debout devant la maison toute seule, dans son costume de clown.

– Vous ne remarquez rien?

– Non.

Jennings toucha la photo, et du bout de l'index, parcourut les contours du vague halo qui entourait la tête et le cou de la jeune fille.

– J'ai d'abord cru que c'était un défaut de la pellicule, mais regardez ce que ça donne sur l'autre.

Il sortit la photo de Chessa pendue au toit.

– Je ne comprends pas, dit Thorn.

– Attendez voir.

Jennings prit un autre paquet de photos. La première représentait le petit prêtre qui sortait de l'ambassade.

– Que dites-vous de ça?

Thorn se tourna vers lui, affolé.

– Où avez-vous trouvé ça?

– C'est moi qui l'ai prise.

– Je croyais que vous recherchiez cet homme. Vous m'aviez dit que c'était un de vos parents.

– Je vous ai menti. Mais regardez bien la photo.

De nouveau, Jennings toucha la photo pour montrer la forme indécise qui semblait suspendue au-dessus de la tête du prêtre.

– Cette « ombre », au-dessus de sa tête? demanda Thorn.

– Oui. Et maintenant, regardez celle-là. Je l'ai prise dix jours plus tard.

Il sortit une autre photo et la posa sous la lampe. C'était un instantané d'un groupe de personnes debout au fond d'une salle de conférences. On discernait nettement une soutane, mais on ne voyait pas le visage de Brennan; pourtant, juste au-dessus de l'endroit où aurait dû se trouver sa tête, il y avait cette même forme oblongue planant dans l'air.

– Je pense qu'il s'agit du même homme; on ne voit pas sa tête mais on voit bien ce qui se trouve au-dessus de lui.

De plus en plus troublé, Thorn examina la photo.

– C'est un peu plus net cette fois. Si vous imaginez l'emplacement de sa tête, vous voyez très bien que ça touche presque son crâne. Dix jours séparent les deux photos : la tache est descendue, elle s'est rapprochée.

Thorn était abasourdi. Jennings prit la photo et la mit à côté de celle qui avait paru en première page du journal : le prêtre transpercé par la perche.

– Vous commencez à voir le rapport? demanda Jennings.

Stupéfait, Thorn restait assis sans pouvoir faire le moindre geste. Le voyant d'un appareil à thermostat s'éteignit derrière eux; Jennings se retourna pour allumer une autre lampe et croisa le regard affolé de Thorn.

– Moi non plus, je ne comprends pas, dit Jennings, c'est pourquoi j'ai commencé à faire des recherches.

Il se dirigea vers une cuve de développement et, à l'aide d'une pince, en sortit un agrandissement qu'il secoua pour l'égoutter avant de l'approcher de la lampe.

– J'ai des amis dans la police, ils m'ont donné des négatifs que j'ai agrandis. Le rapport du médecin légiste a conclu qu'il était rongé par un cancer et qu'il prenait de la morphine à haute dose. Il se piquait deux ou trois fois par jour.

A la vue des agrandissements, Thorn tressaillit. C'était trois photos du cadavre du prêtre, complètement nu, pris dans des poses différentes.

– Extérieurement, son corps était parfaitement normal, poursuivit Jennings, excepté une petite tache sur la face interne de la cuisse gauche.

Il donna une loupe à Thorn et lui fit signe de regarder la dernière photo. Elle représentait le prêtre dans une position horrible, les jambes écartées, laissant voir ses organes génitaux et la face interne de ses cuisses. En l'examinant de près, Thorn vit la marque à l'intérieur de la cuisse gauche : cela ressemblait un peu à un tatouage.

– Qu'est-ce que c'est? demanda-t-il.

– Trois 6. 666.

– ... Camp de concentration?

– C'est ce que j'ai d'abord pensé, mais on a fait une biopsie et l'examen histologique a montré que c'était gravé dans la chair. On ne procédait pas ainsi dans les camps de concentration.

Thorn et Jennings échangèrent un regard. Thorn ne savait plus du tout que penser.

– Suivez-moi bien, dit Jennings. (Il approcha une autre photo de la lumière.) Voilà l'endroit où il vivait. Un misérable studio sans eau chaude à Soho.

C'était plein de rats quand nous sommes entrés; il avait laissé sur la table une portion de bœuf gros sel entamée.

Thorn examina la photo. Elle représentait une cellule minuscule où il y avait juste la place pour un lit, une table et une commode. Les murs étaient recouverts d'une étrange texture; on aurait dit du papier chiffonné; des grandes croix étaient accrochées sur tous les murs.

– Toute la pièce est comme ça. Les papiers que vous voyez sur les murs sont des pages de la Bible. Il y en a des milliers. Chaque centimètre carré en est couvert, même les fenêtres. Comme s'il voulait empêcher quelque chose d'entrer chez lui.

Thorn, de plus en plus stupéfait, regardait l'étrange photo.

– Il avait aussi cloué des croix partout. J'en ai compté quarante-sept rien que sur la porte d'entrée.

– Il était fou?

Jennings le regarda dans le blanc des yeux :

– Mais non! Et vous devriez le savoir mieux que moi.

Jennings pivota sur sa chaise et ouvrit un tiroir d'où il sortit un vieux classeur.

– La police le prenait pour un débile. Ils m'ont laissé fouiller chez lui et prendre ce que je voulais. Regardez ce que j'ai trouvé.

Jennings se leva et passa dans la salle de séjour où Thorn le suivit. Le photographe ouvrit le classeur et en renversa le contenu sur la table.

– D'abord, il y a cet agenda, dit-il en prenant dans le tas un petit carnet usé. Aucune des notes ne le concerne, toutes se rapportent uniquement à vous. Tous vos faits et gestes y sont consignés. L'heure à laquelle vous quittez votre bureau, les restaurants où vous déjeunez, les endroits où vous parlez en public...

– Puis-je le voir?
– Je vous en prie.

Thorn, les mains tremblantes, prit le carnet et le feuilleta.

– D'après ses dernières notes, vous deviez le rencontrer à Kew Gardens. Et ce rendez-vous tombait le jour même de sa mort. Je crois que la police se serait davantage intéressée à lui si elle avait su cela.

Thorn leva les yeux et croisa le regard de Jennings.

– Il était fou, dit-il.
– Vraiment?

La menace pointait dans la voix de Jennings.

– Que voulez-vous savoir?
– L'avez-vous rencontré?
– Non.
– J'ai d'autres choses à vous révéler, monsieur l'ambassadeur, mais je ne le ferai que si vous me dites la vérité.
– Qu'est-ce que tout cela peut vous faire? siffla Thorn à voix basse.
– Je veux vous rendre service. Je suis votre ami.

Thorn restait tendu.

– Les éléments importants sont ici, dit Jennings en montrant la table du doigt. Vous vous décidez à parler, ou vous préférez partir?

Thorn grinça des dents.

– Que voulez-vous savoir?
– L'avez-vous rencontré dans le parc?
– Oui.
– Que vous a-t-il dit?
– Il m'a prévenu.
– De quoi?
– Il m'a dit que ma vie était en danger.
– Quel genre de danger?
– Il n'a pas précisé.
– Vous vous moquez de moi?

– Absolument pas. Ce qu'il disait n'avait ni queue ni tête.

Jennings recula et regarda Thorn d'un air dubitatif.

– Il a parlé de la Bible, poursuivit Thorn. Il a récité un poème. Je ne me rappelle plus. Je le croyais fou. Je n'y ai rien compris!

Jennings paraissait sceptique et la façon dont il dévisageait Thorn rendait ce dernier de plus en plus nerveux.

– Je crois que vous devriez me faire confiance, reprit Jennings.

– Vous m'avez dit que vous aviez d'autres révélations à me faire.

– Pas avant d'en savoir plus.

Jennings, d'un mouvement de tête, montra qu'il le croyait et commença à fouiller parmi les objets qui se trouvaient sur la table. Il alluma l'ampoule qui pendait nue au plafond, et tendit à Thorn une coupure de journal.

– C'est extrait d'une revue d'astrologie. Un astrologue y parle d'un « phénomène insolite », comme il dit. Une comète qui ressemble à une étoile scintillante. Comme l'étoile de Bethléem, il y a deux mille ans.

Tout en lisant l'article, Thorn essuyait la transpiration qui perlait sur sa lèvre supérieure.

– Seulement, cette fois-ci, la comète est apparue de l'autre côté du globe, poursuivit Jennings. Au-dessus de l'Europe. Il y a quatre ans. Le 6 juin pour être précis. Cette date vous dit-elle quelque chose?

– Oui, répondit Thorn d'une voix rauque.

– Alors vous allez reconnaître ceci, répondit Jennings en sortant de la pile de papiers une autre coupure de presse. C'est la dernière page d'un journal de Rome.

Thorn la prit et la reconnut immédiatement. Katherine l'avait gardée dans son album.

– C'est le faire-part de naissance de votre fils. C'était aussi le 6 juin, il y a quatre ans. J'appelle ça une coïncidence, vous ne trouvez pas?

Les mains de Thorn tremblaient si fort maintenant, qu'il pouvait à peine lire le papier qu'il tenait.

– Votre fils est-il né à 6 heures du matin?

Thorn lui jeta un regard angoissé.

– J'essaie de comprendre la signification de la marque sur la cuisse du prêtre, continua Jennings. Les trois 6. Je pense qu'il existe un rapport entre elle et votre fils. Le sixième mois, le sixième jour...

– Mon fils est mort, laissa échapper Thorn. Mon fils est mort, et j'ignore qui est l'enfant que j'élève!

Il se prit la tête à deux mains et se réfugia du côté le moins éclairé de la pièce. Il respirait avec peine. Jennings, qui l'observait, lui dit très calmement :

– Si cela ne vous ennuie pas, Mr Thorn, j'aimerais vous aider à savoir.

– Non, gémit Thorn, cela ne concerne que moi seul.

– Vous vous trompez, monsieur, répondit tristement Jennings, cela me concerne aussi.

Thorn se tourna vers lui et le regarda droit dans les yeux. Jennings partit à pas lents dans la chambre noire et en revint avec une dernière photo qu'il donna à Thorn.

– Il y avait une petite glace dans un coin de la chambre du prêtre, dit Jennings, butant sur les mots. Quand j'ai pris cette photo, j'ai pris ma propre image en même temps.

A la vue de la photo, le visage de Thorn changea d'expression.

– C'est plutôt bizarre comme résultat, vous ne trouvez pas? dit Jennings en poussant l'ampoule nue vers Thorn.

Sur la photo de la chambre de Brennan, on distinguait une petite glace où se réfléchissait l'image de Jennings. Il n'y avait à première vue rien d'extraordinaire à ce qu'un photographe prenne son propre reflet dans un miroir, mais sur ce cliché-là, quelque chose manquait : le cou de Jennings. La tête était séparée du reste du corps par une tache blanche.

10

Le lendemain, Thorn saisit le prétexte de l'accident de Katherine pour se donner quelques jours de congé. Il annonça à ses collaborateurs qu'il partait pour Rome consulter un spécialiste des os pour sa femme, mais en réalité il s'y rendait dans un tout autre but. Il avait raconté toute l'histoire à Jennings et celui-ci l'avait persuadé que la première chose à faire était d'aller à l'hôpital où avait eu lieu la naissance de Damien. Là, ils auraient peut-être des chances de retrouver les morceaux qui manquaient à leur puzzle.

Le voyage fut rapidement et discrètement organisé : Thorn loua un avion privé et s'arrangea pour que son envol à Londres et son atterrissage à Rome s'effectuent sur des pistes interdites au public. Pendant les quelques heures précédant leur départ, Jennings rassembla la documentation dont il pensait avoir besoin : différentes traductions de la Bible et trois traités de sciences occultes. Thorn retourna à Pereford pour faire sa valise et prendre un chapeau afin de dissimuler son visage.

Un calme insolite régnait à Pereford. Allant d'une pièce à l'autre, Thorn ne put trouver ni Mrs Horton ni son mari. Les deux voitures étaient rangées dans le garage, d'une manière qui semblait définitive.

— Ils sont partis tous les deux, dit Mrs Baylock lorsque Thorn entra dans la cuisine.

Debout devant l'évier, la grosse femme coupait des légumes en petits morceaux exactement comme le faisait Mrs Horton.

— Partis où? demanda Thorn.

— Partis. Ils ont fait leurs valises et ils ont filé. Ils vous ont laissé une adresse où envoyer leur dernier mois de salaire.

Thorn en fut sidéré.

— Ont-ils dit pourquoi?

— Peu importe, monsieur. Je peux me débrouiller.

— Mais ils vous ont sûrement donné une raison.

— Absolument aucune. De toute façon, ils ne me disaient jamais grand-chose. C'est le mari qui a voulu partir à tout prix. Je crois que Mrs Horton serait bien restée, elle.

Thorn lui jeta un regard inquiet. Il redoutait de la laisser seule dans la maison avec Damien. Mais que pouvait-il faire d'autre? Il devait absolument partir.

— Pourrez-vous vous débrouiller toute seule si je m'absente quelques jours?

— Je pense que oui, monsieur. Nous avons des réserves d'épicerie pour environ quinze jours, et je crois que cela fera beaucoup de bien au petit d'être un peu tranquille à la maison.

Thorn hocha la tête et fit mine de partir.

— Mrs Baylock?

— Monsieur?

— Ce chien?

— Oh, je sais! Il sera parti ce soir.

— Pourquoi est-il encore là?

— On l'avait laissé dans la campagne, mais dès qu'on l'a détaché, il a retrouvé le chemin de la maison. Il était à la porte hier soir... enfin, juste après l'« accident », et comme le petit était assez bouleversé, il a demandé à le prendre dans sa chambre. Je lui ai dit que vous ne vouliez pas, mais étant donné les circonstances, j'ai pensé...

– Je ne veux plus qu'il reste ici.

– Très bien, monsieur. Je vais téléphoner à la S.P.A.

Thorn fit quelques pas en direction de la porte.

– Mr Thorn?

– Oui?

– Comment va Mrs Thorn?

– Elle va mieux.

– Pendant que vous serez parti, croyez-vous que je pourrais emmener le petit la voir à l'hôpital?

Thorn ne répondit pas tout de suite. Il la regarda longuement : elle s'essuyait les mains avec un torchon de cuisine. Elle était l'image même de la parfaite domestique, et il se demanda soudain pourquoi il la détestait tant.

– J'aimerais mieux que vous ne l'emmeniez pas. Je l'emmènerai moi-même à mon retour.

– Très bien, monsieur.

Ils échangèrent un bref salut et Thorn s'en alla. Il prit sa voiture et se rendit à l'hôpital. Le Dr Becker lui dit que Katherine était réveillée et se sentait reposée. Le médecin demanda l'autorisation de faire venir un psychiatre au chevet de la malade et Thorn lui donna le numéro de téléphone de Greer. Après quoi, il se rendit dans la chambre de Katherine. Elle ébaucha un pâle sourire en le voyant entrer.

– Alors? dit-il.

– Alors, murmura-t-elle.

– Tu te sens mieux? demanda-t-il.

– Un peu.

– Ils m'ont dit que tu allais très vite te rétablir.

– Sûrement.

Il prit une chaise et s'assit à côté du lit. Il fut

frappé de la beauté de Katherine, malgré le piteux état où elle se trouvait. Le soleil qui entrait à flots par la fenêtre faisait doucement briller ses cheveux.

– Tu es magnifique, dit-elle.

– C'est justement ce que je pensais de toi.

– Moi, je dois être affreuse, répondit-elle en souriant.

Il prit sa main dans les siennes et tous deux échangèrent un long regard.

– Nous vivons des choses étranges, dit-elle tout bas.

– Oui.

– Crois-tu que cela s'arrangera un jour?

– Sûrement.

Elle eut un sourire triste; de la main, il lui caressa le front et repoussa une mèche de cheveux qui était tombée dans ses yeux.

– Nous n'avons pourtant jamais rien fait de mal, n'est-ce pas, Robert?

– Je ne crois pas.

– Alors, pourquoi ne nous arrive-t-il que des malheurs?

Incapable de répondre, il se borna à secouer la tête.

– Si nous étions méchants, reprit-elle, alors je comprendrais. Peut-être mériterions-nous vraiment tout cela. Mais qu'avons-nous fait de mal? Quand donc avons-nous fait quelque chose de mal?

– Je l'ignore, murmura-t-il d'une voix rauque.

Elle avait l'air tellement innocente et si vulnérable qu'il se sentit submergé par une vague d'émotion.

– Tu seras en sûreté, ici, souffla-t-il. Je m'en vais pour quelques jours.

Elle ne réagit pas, ne demanda pas où il allait.

– C'est pour mon travail. Je ne peux absolument pas faire autrement.

– Combien de temps?
– Trois jours. Je t'appellerai tous les soirs.
Elle hocha la tête en signe d'assentiment. Il se leva lentement, puis se baissa pour embrasser légèrement sa joue écorchée et bleuie.
– Bob?
– Oui?
– Ils m'ont dit que j'avais sauté.
Elle tourna vers lui des yeux auxquels le désarroi donnait une expression enfantine.
– Pourquoi aurais-je fait cela?
– Je ne sais pas, murmura Thorn. C'est ce qu'il nous reste à découvrir.
– Suis-je folle? demanda-t-elle d'une voix neutre.
– Peut-être le sommes-nous tous.
Elle lui tendit les bras et il se baissa à nouveau, le visage tout près du sien.
– Je n'ai pas sauté, chuchota-t-elle. Damien m'a poussée.
Il se fit un long silence, puis, lentement, Thorn quitta la pièce.

Thorn et Jennings étaient les seuls occupants du Lear Jet qui comportait six places. Un silence tendu régnait à l'intérieur de l'avion qui fendait le ciel noir en direction de Rome.
Jennings avait étalé ses livres autour de lui et, au bout d'un moment, il supplia Thorn de se rappeler ce que lui avait dit Brennan.
– Je ne peux pas, dit Thorn avec désespoir. Tout est si flou dans mon esprit.
– Commencez par le commencement. Racontez-moi exactement ce que vous savez.
Thorn lui narra sa première rencontre avec le prêtre; comment celui-ci l'avait filé, puis était parvenu à lui parler et à lui donner le fameux rendez-

vous dans le parc. C'était au cours de cette entrevue, la seconde, qu'il avait récité le poème.

– Quelque chose... qui montait de la mer, marmonna Thorn en essayant de rassembler ses souvenirs épars. A propos de la mort..., d'armées..., l'Empire romain.

– Il faut que vous y arriviez mieux que ça.

– J'étais très contrarié. Je le croyais fou. Je n'ai pas vraiment écouté.

– Mais si, vous avez écouté. Vous avez entendu. Vous avez la clef de l'énigme, dites-la!

– Je ne peux pas...

– Essayez encore.

Le visage de Thorn reflétait tous les signes de l'épuisement. Il ferma les yeux pour forcer son esprit à aller dans une direction qu'il refusait de prendre.

– Je me rappelle... Il m'a supplié de communier. Boire le sang du Christ. Voilà ce qu'il a dit. Boire le sang du Christ.

– Pourquoi?

– Pour anéantir le fils du Démon. Il m'a dit de boire le sang du Christ pour anéantir le fils du Démon.

– Quoi d'autre? insista Jennings.

– Un vieillard. Quelque chose à propos d'un vieillard.

– Quel vieillard?

– Il m'a dit d'aller voir un vieillard.

– Continuez!

– Je ne me souviens plus.

– Vous a-t-il dit son nom?

– M ..Magdo. Magdo. Meggido. Non! Ça, c'était la ville.

– Quelle ville?

– La ville où il m'a dit d'aller. Meggido. Je suis sûr que c'est ça. Voilà. Il m'a dit à Meggido.

Jennings, très excité, fouilla dans son porte-documents et en sortit une carte.

– Meggido, marmonna-t-il, Meggido...

– En avez-vous déjà entendu parler? lui demanda Thorn.

– Je parie que c'est en Italie.

Mais elle n'y était pas, et ne se trouvait pas davantage dans la liste alphabétique des villes des grands pays d'Europe. Jennings étudia sa carte pendant une bonne demi-heure avant de la replier en secouant la tête de dépit. Il jeta un coup d'œil à Thorn et vit qu'il dormait. Ne voulant pas le réveiller, il se plongea dans ses traités de sciences occultes. Tandis que le petit avion se rapprochait du but, Jennings s'absorba tout entier dans la lecture des prophéties qui annonçaient la seconde venue du Christ. Elle était liée à la venue de l'Antéchrist, le Fils du Malin, la Bête, le Messie Infernal.

« ... et sur cette terre arrive le Messie Infernal, le descendant de Satan qui a pris forme humaine, engendré par le viol d'une bête à quatre pattes. Tandis que le Christ a semé l'amour et la bonté, l'Antéchrist sèmera la haine et la terreur... recevant ses ordres directement de l'Enfer. »

L'avion se posa avec une forte secousse et Jennings se précipita pour rattraper ses livres qui tombaient de tous côtés. Il pleuvait sur Rome, et le tonnerre accueillit les deux voyageurs de grondements menaçants.

Ils se dépêchèrent de traverser l'aéroport désert et s'engouffrèrent dans un taxi qui les attendait. Tandis que la voiture traversait lentement la ville sous la pluie battante, Jennings s'endormit et Thorn se mura dans le silence. En passant devant les statues éclairées de la Via Veneto, il se rappela le temps où Katherine et lui, jeunes et pleins d'espérance, se promenaient, main dans la main, le long de ces mêmes rues. Ils étaient innocents et amoureux alors : il se rappelait l'odeur de son parfum et le son clair de son rire. Ils découvraient Rome comme Christophe Colomb avait découvert l'Amérique. Ils la croyaient toute à eux. Ils faisaient l'amour l'après-midi. Et maintenant, les yeux perdus dans l'obscurité, Thorn se demandait s'ils le referaient un jour.

– *Ospedale Generale,* dit le chauffeur en arrêtant brusquement son taxi.

Jennings se réveilla et Thorn jeta un regard étonné par la portière.

– Ce n'est pas ici, dit-il.

– *Si, Ospedale Generale.*

– Non, c'était vieux, en briques, je me rappelle.

– Ce n'est pas la bonne adresse? demanda Jennings.

– *Ospedale Generale,* répéta le chauffeur.

– *E differente,* insista Thorn.

– *Ah,* répondit le chauffeur. *Fuoco. Tre anni più o meno.*

– Que dit-il? demanda Jennings.

– L'incendie, expliqua Thorn. *Fuoco,* c'est le feu.

– *Si,* ajouta le chauffeur. *Tre anni.*

– Qu'est-ce qui se passe avec le feu? s'enquit Jennings.

– Apparemment le vieil hôpital a brûlé. On l'a reconstruit.

– *Tre anni più o meno. Molti morti.*

Thorn regarda Jennings.

– Il y a trois ans. *Molti morti.* Beaucoup de morts.

Ils réglèrent le chauffeur et lui demandèrent de les attendre. Tout d'abord, il refusa, mais, voyant la somme qu'on lui donnait, il s'empressa d'accepter. Thorn lui dit en mauvais italien qu'ils aimeraient le garder pendant toute la durée de leur séjour. Le chauffeur voulut aller prévenir sa femme, et il leur promit de revenir juste après.

Dès qu'ils entrèrent dans l'hôpital, ils furent extrêmement déçus. Il était impossible, à cause de l'heure tardive, de voir la direction avant le lendemain matin. Jennings partit quand même à la recherche d'un responsable, tandis que Thorn, qui avait réussi à trouver une religieuse parlant anglais, apprenait que l'hôpital avait effectivement brûlé trois ans auparavant et qu'il avait été entièrement reconstruit.

– Tout n'a sûrement pas complètement brûlé, dit Thorn d'un ton suppliant. Il doit bien rester quelques documents.

– Je n'étais pas là à l'époque, répondit la religieuse en mauvais anglais. Mais on m'a dit que le feu avait tout anéanti.

– Savez-vous si certaines archives étaient entreposées ailleurs?

– Je l'ignore.

Thorn était très déçu et la sœur haussa les épaules, pour dire qu'elle ne savait rien de plus.

– Ecoutez, dit Thorn, c'est extrêmement important pour moi : j'ai adopté un enfant ici même et j'aimerais retrouver des traces de son certificat de naissance.

– Il n'y a jamais eu d'adoption ici.

– Il y en a eu au moins une. Mais ce n'était pas une adoption au sens habituel.

– Vous devez vous tromper. Toutes les adoptions sont contrôlées par un bureau spécial.

– Enregistre-t-on les naissances? Gardez-vous des documents concernant les enfants qui naissent ici?

– Oui, bien sûr.

– Peut-être que si je vous donnais la date...

– Cela ne sert à rien, interrompit Jennings qui revenait.

Thorn se retourna et vit arriver le photographe, la mine déconfite.

– Le feu a pris dans la salle des archives, au sous-sol, là où étaient tous les papiers. Ils ont flambé comme une torche, l'incendie a rapidement gagné la cage d'escalier... le troisième étage est devenu un véritable enfer.

– Le troisième étage?

– La nurserie et la maternité, acquiesça Jennings en faisant un signe de tête. Tout a été réduit en cendres.

Thorn chancela et s'appuya lourdement au mur.

– Si vous voulez bien m'excuser, dit la religieuse.

– Attendez! supplia Thorn. Qu'est-il arrivé au personnel? Sûrement que quelques-uns ont survécu?

– Oui, quelques-uns.

– Il y avait un homme très grand, un prêtre, un véritable géant.

– Le père Spilletto?

– Oui, répondit fébrilement Thorn, Spilletto.

– Il était chef du personnel, poursuivit la religieuse.

– Oui, c'est ça. Est-il...?

– Il a survécu.

L'espoir fit battre le cœur de Thorn :

– Est-il ici?

– Non.

– Alors où?

– Au monastère de Subiaco. Beaucoup de survivants y ont été emmenés et beaucoup y sont morts. Peut-être est-il mort, mais il a survécu à l'incendie. Je me souviens qu'ils ont dit que c'était un miracle qu'il ait survécu.

– Subiaco? demanda Jennings.

– Au monastère de saint Benoît, précisa la religieuse.

Dans le taxi, ils se précipitèrent sur les cartes de

Jennings. Subiaco était complètement à l'est de Rome. Ils pouvaient arriver dans la nuit. Le chauffeur se montra d'abord réticent, mais une forte somme d'argent réussit à le convaincre. Thorn et Jennings lui tracèrent en rouge sur la carte le chemin à suivre, afin que tous deux puissent dormir pendant le voyage. Mais ils étaient trop énervés pour pouvoir fermer l'œil, et, à la maigre lueur du plafonnier, ils se plongèrent dans les livres de Jennings tandis que le petit taxi filait à travers la campagne italienne.

— Nom d'un chien!... s'exclama Jennings au beau milieu d'un passage de la Bible. Nous y voilà!

— Quoi?

— C'est là, dans la Bible. Dans cette horreur d'Apocalypse, « Quand les Juifs retourneront à Sion... ».

— C'est ça le poème de Brennan, coupa Thorn très excité. « Quand les Juifs retourneront à Sion... », puis il y a quelque chose à propos d'une comète.

— C'est là-dedans, dit Jennings. « Une pluie d'étoiles et l'essor du Saint Empire. » Voilà les événements qui sont censés marquer la naissance de l'Antéchrist. Le propre fils de Satan.

Le taxi poursuivait sa route, ils continuaient à lire. Thorn sortit de son porte-documents les commentaires de la Bible dont il s'était déjà servi pour préparer ses discours. Ils furent d'une grande utilité pour déchiffrer les symboles contenus dans les Saintes Ecritures.

— Voyons, conclut Jennings aux premières lueurs de l'aube. Les Juifs sont bien revenus à Sion, et il y a bien eu une comète. Quant à l'essor du Saint Empire Romain, certains érudits pensent que l'on peut l'apparenter à la formation du Marché commun.

– C'est un peu tiré par les cheveux, remarqua Thorn d'un air songeur.

– Et que pensez-vous de ça? lui demanda Jennings en ouvrant un des livres. L'Apocalypse dit : « Il sortira de la Mer Eternelle. »

– C'est encore le poème de Brennan. (Thorn fronça les sourcils en essayant de se rappeler la suite.) « Il sortira de la Mer Eternelle... avec des armées sur chaque rivage. » Voilà comment ça commençait.

– Il citait l'Apocalypse tout du long; il avait pris tout son poème dans l'Apocalypse.

– « Il montera de la Mer Eternelle... », répéta Thorn pour tenter encore de se souvenir du reste.

– Ecoutez ça, Thorn! dit Jennings en appuyant l'index sur une page de son livre. Le Comité de Théologie internationale explique que la « Mer Eternelle » n'est autre que le monde de la Politique. La Mer perpétuellement agitée par les troubles et les révolutions.

Jennings regarda durement Thorn :

– L'Enfant de Satan sortira du Monde de la Politique, conclut-il.

Ne sachant que répondre, Thorn détourna lentement les yeux et regarda le paysage qu'éclairait l'aube naissante.

Le monastère de San Benedetto était presque en ruine, mais, malgré l'usure séculaire, cette énorme citadelle dégageait une impression de force et de sérénité. Au cours des siècles, elle avait soutenu maints sièges interminables. Les Allemands, qui l'avaient envahie dès le début de la Seconde Guerre mondiale, avaient fusillé tous les moines avant d'y établir leurs quartiers généraux. En 1946, les Italiens eux-mêmes l'avaient bombardée, pour l'exorciser de ce passé diabolique. Malgré tous ces massacres, San Benedetto restait un lieu saint. L'écho des hymnes religieux qui, depuis des siècles, y avaient résonné, habitait ces voûtes historiques.

Jennings et Thorn dormaient profondément quand la petite voiture s'engagea sur les cinq cents derniers mètres du chemin qui menait à la forteresse médiévale, et le chauffeur dut les secouer pour les réveiller.

— *Signori?*

Thorn remua à peine, mais Jennings, baissant la vitre de sa portière, se mit à aspirer l'air frais du matin en contemplant le paysage voilé d'une brume légère.

— *San Benedetto,* marmonna le chauffeur épuisé.

Thorn se frotta les yeux et regarda les contours anguleux du monastère qui se détachaient sur un ciel rougeâtre.

— Regardez un peu ça... murmura Jennings avec appréhension.

— On ne peut s'approcher plus? demanda Thorn.

Le conducteur fit non de la tête.

— Manifestement pas, conclut Jennings.

Ils demandèrent au chauffeur de garer sa voiture sur le bord du chemin et de les attendre, puis ils continuèrent à pied. Très vite, ils enfoncèrent jusqu'à la taille dans de hautes herbes humides. La marche leur parut d'autant plus rude qu'ils n'étaient pas habillés pour la circonstance; leurs vêtements mouillés se plaquaient contre eux à mesure qu'ils avançaient et ils respiraient difficilement dans cette atmosphère lourde de silence. Au bout d'un moment, Jennings s'arrêta, décrocha son appareil et prit des photos, utilisant la moitié de son film.

— Incroyable, murmura-t-il. Bigrement incroyable!

Thorn se retourna pour lui jeter un regard impatient et Jennings se dépêcha de le rattraper. Ils poursuivirent leur marche, n'ayant pour tout accompagnement, dans ce silence hostile, que le bruit de leur respiration et le son lointain de cantiques, qui, tel un long gémissement, sourdait de la citadelle.

– C'est d'une tristesse, par ici! remarqua Jennings comme ils approchaient de l'entrée. Ecoutez ça! Ecoutez donc toute cette souffrance!

C'était impressionnant. Le chant monotone semblait sortir des murs et des voûtes mêmes. Ils pénétrèrent dans les couloirs déserts, sans parvenir à déceler d'où venait cette prière.

– Par ici, je crois, dit Jennings en montrant du doigt le carrelage d'un long corridor. Regardez la boue.

Ils se retrouvèrent à l'intérieur, sur un sentier brunâtre : au fil des siècles, le martèlement des pieds avait usé la pierre, y traçant une sorte de rigole où se précipitait l'eau, les jours de fortes pluies. Le chemin conduisait à une immense rotonde en pierre, fermée par de lourdes portes de bois. Au fur et à mesure que Thorn et Jennings approchaient, apeurés et ralentissant leurs pas, l'intensité du chant croissait. Le spectacle qu'ils découvrirent en ouvrant les portes les emplit de crainte. En une seconde, ils furent plongés en plein Moyen Age, et ils eurent l'impression que la présence de Dieu, la force spirituelle, était une chose tangible, concrète. La pièce, très ancienne, était de dimensions impressionnantes : des marches de pierre conduisaient à un immense autel, dominé par une énorme croix de bois où était cloué un grand Christ en marbre. La rotonde elle-même était faite de blocs de pierre entrelacés de vignes, qui se rejoignaient au plafond, formant un dôme à ciel ouvert. A cette heure du jour, un pinceau de lumière éclaboussait le corps crucifié du Christ.

– Voilà de quoi il s'agit, mon vieux, chuchota Jennings. C'est un lieu de culte.

Thorn acquiesça d'un signe de tête, puis examina attentivement la chapelle avant de poser son regard sur un groupe de moines encapuchonnés, qui priaient à genoux. Leur chant était tout à la fois émouvant et effrayant : il s'élevait, retombait, semblant renaître de lui-même au moment où il allait mourir. Jennings sortit son posemètre et essaya d'en lire les chiffres dans l'obscurité.

– Rangez ça, souffla Thorn.

– J'aurais dû àpporter mon flash.

– Je vous ai dit de ranger ça.

Jennings foudroya Thorn du regard, mais obéit. Thorn était profondément bouleversé; ses genoux tremblaient et il avait envie de s'agenouiller pour prier.

– Vous ne vous sentez pas bien? s'enquit Jennings à voix basse.

– ... Je suis catholique, chuchota Thorn.

Soudain, son visage se tendit. Il fixait quelque chose dans l'ombre. Jennings suivit son regard et vit l'objet : c'était une chaise roulante. Contrairement aux autres moines qui priaient agenouillés, la tête baissée, le moine qui se trouvait sur la chaise d'infirme était assis dans le cloître, le dos droit, la tête en arrière et les bras tordus comme s'ils étaient paralysés.

– C'est lui? demanda Jennings dans un souffle.

De la tête, Thorn fit signe que oui, les yeux agrandis par la crainte. Ils s'approchèrent un peu, et Jennings tressaillit quand il distingua le visage du prêtre. La moitié de la face avait littéralement fondu : l'œil opaque fixait le plafond de son regard aveugle; la main droite, horriblement déformée, sortait de la manche de bure, comme un moignon lisse et brillant.

– Nous ne savons pas s'il peut voir ou entendre, dit un moine qui se tenait près de Spilletto dans le cloître du monastère. Depuis l'incendie, il n'a pas dit une parole.

Ils se trouvaient maintenant dans l'ancien jardin du monastère, dont le sol, tombé en friche, était jonché de débris de statues. Le moine qui parlait avait poussé la chaise roulante jusque-là, les deux hommes l'avaient suivi; ils avaient attendu d'être éloignés du reste de la communauté pour parler.

– Les frères le soignent et lui donnent à manger, poursuivit le moine, et nous prions pour qu'il se rétablisse lorsque sa pénitence sera finie.

– Sa pénitence? s'enquit Thorn.

Le moine acquiesça d'un signe de tête :

– Malheur au berger qui abandonne sa brebis! Que son bras droit se dessèche et que son œil perde la vue.

– Il n'est plus en état de grâce?

– Non.

– Puis-je vous demander pourquoi?

– Pour avoir renié le Christ.

– Comment savez-vous qu'il a trahi le Christ? demanda Thorn au moine.

– Il l'a confessé.

– Mais il ne peut plus parler.

– Il a fait une confession écrite; il peut bouger légèrement le bras gauche.

– Quelle sorte de confession? insista Thorn.

Le moine, un peu surpris, demanda :

– Pourquoi me posez-vous de telles questions?

– C'est d'une importance vitale pour moi, répliqua Thorn avec franchise. Je vous supplie de nous aider. Une vie est en jeu!

Le moine regarda attentivement le visage de Thorn, puis hocha la tête.

– Venez avec moi.

La cellule de Spilletto était une minuscule pièce carrée, dont l'unique mobilier était constitué par un matelas de paille et une table de pierre. Les murs nus soutenaient un plafond à ciel ouvert, comme celui de la rotonde, qui laissait pénétrer la lumière et la pluie. De l'orage de la veille, il était resté une flaque d'eau sur le sol. Thorn, remarquant l'humidité du matelas, se demanda si tous les moines étaient logés de la sorte, ou si cet inconfort faisait partie de la pénitence infligée à Spilletto.

– C'est écrit sur la table, dit le moine quand ils entrèrent, il a tracé cela avec un morceau de charbon.

Les roues de la chaise de Spilletto cliquetèrent sur les pierres inégales. Ils s'assemblèrent autour de la petite table et contemplèrent le dessin étrange que le prêtre y avait tracé.

– Dès qu'il est arrivé ici, il a dessiné cela, dit le moine. Nous lui avons laissé le morceau de charbon pour qu'il continue, mais il n'a rien fait d'autre.

Le dessin, malhabile et grossièrement tracé, représentait une silhouette, penchée et difforme, la tête entourée d'un arc de cercle. Les trois chiffres qui se trouvaient sur cette courbe sautèrent aux yeux de Jennings. C'était des 6 : trois 6, pareils à ceux gravés sur la cuisse de Brennan.

– Remarquez cette ligne incurvée au-dessus de la tête, dit le moine. Elle représente le capuchon d'un moine. Son propre capuchon.

– Serait-ce un autoportrait? demanda Jennings.

– C'est ce que nous pensons.

– Que viennent faire les 6?

– 6 est le chiffre du Démon, répondit le moine, comme 7 est le nombre parfait, le chiffre de Jésus. 6 est le chiffre de Satan.

– Pourquoi trois 6? s'enquit Jennings.

– Nous croyons que cela représente la trinité

diabolique. Le Démon, l'Antéchrist et le Faux Prophète.

– Le Père, le Fils et le Saint-Esprit, remarqua Thorn.

Le moine acquiesça d'un signe de tête :

– Toute chose sacrée a son pendant diabolique. C'est le principe même de la tentation.

– Qu'est-ce qui vous fait croire que c'est une confession? demanda Jennings.

– Comme vous le dites, c'est un autoportrait. Du moins nous le pensons; or, il est symboliquement entouré par le triumvirat de l'Enfer.

– Alors vous ignorez quel est le péché exact qu'il a commis?

– Les détails n'ont aucune importance, répliqua le moine. Tout ce qui importe est qu'il désire se repentir.

Jennings et Thorn échangèrent un long regard. Le visage de Thorn trahissait sa profonde déception.

– Pourrais-je lui parler? demanda-t-il.

– Cela ne servira à rien.

– Père Spilletto, je m'appelle Thorn, dit-il en martelant bien les mots.

Le prêtre regarda dans une autre direction, sans mot dire, sans faire un geste, faisant comprendre ainsi qu'il avait entendu.

– Cela ne sert à rien, dit enfin le moine.

Mais Thorn passa outre; il alla au-devant de l'infirme.

– Père Spilletto. Il y avait un enfant. Je veux savoir d'où il vient.

– Je vous en prie, signor! supplia le moine.

– Vous vous êtes confessé à eux! hurla Thorn. Maintenant confessez-vous à moi. Je veux savoir d'où vient cet enfant.

– Je vais devoir vous demander...

– Père Spilletto! Ecoutez-moi! Répondez-moi!

Le moine tenta de saisir la chaise de Spilletto, mais Jennings s'interposa.

– Père Spilletto! hurla Thorn au visage du moine muet et immobile. Je vous en supplie! Qui est-il? Je vous en prie, dites-le-moi tout de suite!

Tout à coup, ils sursautèrent : un roulement de tonnerre se fit entendre; dans la haute tour du monastère, toutes les cloches se mirent à sonner à toute volée. Thorn et Jennings frémirent. Ce vacarme assourdissant se répercutait sur les murs de picrre. Thorn vit que la main du prêtre s'était mise à trembler et s'élevait lentement :

– Le charbon, cria Thorn, donnez-lui le charbon!

Jennings, d'un mouvement vif, se saisit du morceau de charbon et le glissa dans la main tremblante. Tandis que les cloches continuaient à sonner, la main du prêtre commença à tracer sur la table des lettres informes, d'une écriture saccadée, qui, à chaque battement de cloche, marquait un temps.

– C'est un mot! s'écria Jennings, très excité. C... E... R...

Le prêtre se forçait à poursuivre, mais il tremblait de la tête aux pieds. L'intense souffrance que lui causait cet effort sc lisait clairement sur son visage. La bouche, béante, laissait échapper un long gémissement semblable à la plainte d'un animal frappé à mort.

– Continuez! insista Thorn.

– ... V... lut Jennings, ... E... T...

Et brusquement, les cloches se turent. Les doigts crispés du prêtre laissèrent échapper le charbon, et sa tête retomba mollement en arrière. Epuisé, les yeux tournés vers le plafond, il avait le visage baigné de sueur.

Jennings et Thorn, immobiles, regardaient fixement le mot griffonné sur la table.

— Cervet? dit Thorn.

— Cervet, répéta Jennings.

Ils jetèrent un regard interrogateur au moine, qui s'était approché pour lire.

— Cela évoque-t-il quelque chose pour vous? s'enquit Thorn.

— Cerveteri, répondit le moine. Je crois que c'est Cerveteri.

— Qu'est-ce que c'est? demanda Jennings.

— Un vieux cimetière qui date des Etrusques. Le cimetière de Sant' Angelo.

Le corps raidi du prêtre se remit à trembler : il y eut un gémissement, comme si l'infirme essayait de parler. Mais il se tut, tous ses muscles parurent se relâcher : son esprit retrouvait les limites de sa pauvre enveloppe humaine.

Le moine secouait la tête, affligé.

— Cerveteri est complètement en ruine. C'est là où se trouve la châsse de Techulca.

— Techulca? demanda Jennings.

— Le dieu étrusque du Mal. Les Etrusques adoraient le Démon. On les enterrait sur le lieu même des sacrifices.

— Pourquoi a-t-il écrit cela? s'enquit Thorn.

— Je l'ignore.

— Où se trouve cet endroit? demanda Jennings.

— Il n'y a absolument rien là-bas, signor, à part quelques tombes... et quelques chiens sauvages.

— Où est-ce? répéta Jennings avec insistance.

— Votre chauffeur saura. A cinquante kilomètres environ au nord de Rome.

Il ne leur fut pas facile de réveiller le chauffeur. Celui-ci regrettait maintenant d'avoir accepté de les prendre, surtout lorsqu'il apprit l'endroit où il devait encore les conduire. Cerveteri était un lieu qu'évitait tout chrétien digne de ce nom, et ils n'y arriveraient sûrement pas avant la tombée de la nuit.

L'orage qui sévissait sur Rome et ses environs ralentissait la voiture. Quand ils quittèrent la grand-route pour s'engager dans un chemin boueux creusé de nids-de-poule, l'auto avança de plus en plus difficilement; une des roues s'embourba dans une ornière et il fallut descendre pour pousser. Quand ils réintégrèrent leurs sièges, ils étaient trempés jusqu'aux os et tremblaient de tous leurs membres. Jennings jeta un coup d'œil à sa montre, s'aperçut qu'il était presque minuit et sombra dans le sommeil. Quand il se réveilla, quelques heures plus tard, il réalisa que l'auto ne roulait plus et que rien ne bougeait à l'intérieur. Thorn, enveloppé dans une couverture, dormait à côté de lui. Quant au chauffeur, il ronflait sur la banquette avant et Jennings n'aperçut que ses souliers couverts de boue.

Jennings ouvrit la portière et fit quelques pas dans l'obscurité pour se dégourdir les jambes. L'aube commençait à poindre. Il cherchait à se faire une idée de l'endroit où ils se trouvaient, et il comprit peu à peu qu'ils avaient atteint Cerveteri. Devant lui se trouvait une grille de fer, aux pointes acérées, au travers de laquelle il distingua, sous le ciel gris, des pierres tombales.

Il regagna la voiture, jeta un coup d'œil à Thorn et regarda sa montre : il était 5 heures moins 10. Il alla tout doucement vers la portière du chauffeur, l'ouvrit sans bruit et enleva la clef de contact, puis il se dirigea vers le coffre, le déverrouilla et l'ouvrit. Cela grinça un peu, mais ne réveilla pas les deux dormeurs. Fouillant à l'aveuglette, Jennings trouva son appareil et le rechargea. Ensuite, il vérifia la courroie de son flash qui jeta un éclair, l'éblouissant si brusquement qu'il en chancela. Il attendit quelques instants que sa vision redevienne normale. Il chargea son attirail sur l'épaule et aperçut au fond du coffre un démonte-pneu, enroulé dans des chiffons graisseux. Il saisit la courte barre de fer et la passa dans sa ceinture, puis il referma le coffre et se dirigea sans bruit vers la grille. Le sol était humide; Jennings, grelottant, cherchait un accès à proximité de la grille. Il n'y en avait pas. Il attacha solidement son attirail et, prenant appui sur un arbre, il escalada la grille. Son pied glissa; en tombant de l'autre côté, il déchira son manteau. Il se releva, remit son appareil en place et avança à l'intérieur du cimetière. Le ciel s'éclairait maintenant et Jennings pouvait discerner les détails des pierres tombales et des statues rongées par le temps. En dépit de l'érosion, les ornements et les sculptures, d'un art fort élaboré, étaient restés presque intacts, tandis que les gargouilles et le revêtement des cryptes étaient à demi brisés. Dans certains caveaux, à moitié effondrés, grouillaient toutes sortes d'animaux qui, ne tenant aucun compte de la présence de Jennings, allaient et venaient entre les entrailles de la terre et l'air libre.

Glacé jusqu'aux os, Jennings transpirait pourtant. Malade, il progressait pesamment entre les tombes, regardant de tous côtés. Il avait l'impression que les yeux vides des gargouilles épiaient ses moindres gestes. Pour calmer l'angoisse qu'il sentait monter en lui, il s'arrêta, leva les yeux et ne put les détacher de ce qu'il aperçut : une immense idole de pierre qui le fustigeait du regard, le visage ivre de colère, courroucée par cette intrusion dans son domaine. Devant ces yeux exorbités qui semblaient lui ordonner de partir, Jennings sentit le souffle lui manquer. Les traits de l'idole étaient humains, mais l'expression était bestiale : un front sillonné de rides profondes, un énorme nez, une bouche aux lèvres charnues, grande ouverte, comme si elle hurlait de fureur. Surmontant la peur qui l'envahissait, Jennings fit un violent effort pour lever son appareil et prendre trois clichés au flash, mitraillant la pierre d'éclairs.

Dans la voiture, Thorn ouvrit lentement les yeux et se rendit compte que Jennings était parti. Il sortit et aperçut le cimetière dont les statues brisées étaient maintenant éclairées par les lueurs rougeoyantes de l'aube.

— Jennings?...

Nulle réponse. Thorn marcha vers la grille et appela de nouveau. Un bruit lointain lui répondit. Quelque chose remuait dans le cimetière; on aurait dit un bruit de pas qui venaient dans sa direction. Thorn agrippa les barreaux glissants, se hissa péniblement jusqu'au sommet de la grille et retomba lourdement dans le cimetière. Le bruit de pas s'était tu. Thorn fouilla des yeux le dédale de statues brisées et avança lentement, piétinant dans la boue. Il arriva près des têtes fracassées des gargouilles et sentit qu'elles dardaient sur lui leurs yeux vides. L'immobilité qui régnait ici, le silence oppressant, l'impression que les choses aussi retenaient leur souffle, Thorn les avait déjà ressentis. Il s'en souvenait : c'était à Pereford, la nuit où il avait aperçu les yeux qui l'épiaient dans la forêt. Il s'arrêta, craignant d'être surveillé ce matin aussi. Parcourant du regard les pierres tombales et les statues, il vit une énorme croix plantée tête en bas dans le sol. Il se raidit, car c'était de derrière cette croix que venait le bruit : un bruit de pas à nouveau. Mais, cette fois, ils étaient rapides et se dirigeaient sur lui. Thorn voulut courir, mais il était cloué sur place, les yeux dilatés de frayeur. Un craquement affreux se fit entendre tout près de lui.

— Thorn!

Jennings, hors d'haleine, les yeux exorbités, jaillit d'un fourré. Thorn, rassuré, poussa un soupir. En deux enjambées, Jennings le rejoignit, le démonte-pneu serré dans la main.

— Je l'ai trouvé, haleta-t-il. Je l'ai trouvé!

— Trouvé quoi?

— Venez. Suivez-moi!

Ils se hâtèrent. Jennings contournait les pierres tombales, tel un soldat effectuant le parcours du combattant, et Thorn faisait tout son possible pour le suivre.

— C'est ici! s'exclama Jennings en s'arrêtant dans une espèce de petite clairière. Regardez! Les voilà! A ses pieds, se trouvaient deux tombes creusées l'une à côté de l'autre. Contrairement aux autres sépultures, celles-ci semblaient récentes; l'une était de taille normale, l'autre beaucoup plus petite; les dalles ne portaient pour tout ornement que l'inscription des noms et des dates.

— Regardez les dates! dit Jennings tout excité. 6 juin. Le 6 juin, il y a quatre ans. Une mère et son enfant!

Thorn s'approcha lentement et contempla les deux tertres.

— Ce sont les deux seules tombes récentes, dit fièrement Jennings. Les autres sont si vieilles que l'on ne peut rien lire dessus.

Muet, Thorn s'agenouilla et essuya les pierres tombales avec sa manche pour voir leurs inscriptions.

— ... *Maria Avedici Santora...* lut-il. *Bambino Santora... In Morte et in Nate Amplexarantur Generationes.*

— Qu'est-ce que c'est?

— Du latin.

— Qu'est-ce que cela signifie?

— ... Dans la mort et dans la naissance, les générations se rejoignent.

— Quelle trouvaille!

Jennings s'agenouilla à côté de Thorn et fut très surpris de voir qu'il pleurait. Thorn baissa la tête et laissa couler ses larmes tandis que Jennings, ne sachant que faire, attendait qu'il retrouve son calme.

– Voilà, gémit Thorn. Je le sais, mon enfant est enterré ici.

– Et probablement aussi la femme qui a donné le jour à celui que vous élevez.

Thorn regarda fixement Jennings.

– Maria Santora, dit ce dernier en montrant du doigt la pierre tombale. Il y a une mère et son enfant.

Thorn secoua la tête, essayant de comprendre.

– Ecoutez, expliqua Jennings, vous avez demandé à Spilletto de vous dire où était la mère. Voici la mère et ceci est vraisemblablement votre enfant.

– Mais pourquoi ici? Pourquoi à cet endroit?

– Je ne sais pas.

– Pourquoi dans cet endroit sinistre?

Jennings regardait Thorn et se sentait gagné par son désarroi.

– Il n'y a qu'une façon de savoir, Thorn. Puisque nous avons fait tout ce chemin, autant aller jusqu'au bout.

Il brandit le démonte-pneu et le planta profondément dans la terre. L'outil s'enfonça jusqu'à la garde, et sa pointe dut heurter quelque chose car on entendit un bruit sourd.

– C'est assez facile, il n'y a que trente centimètres de profondeur.

A l'aide du démonte-pneu, il se mit à soulever de grosses mottes de terre qu'il arracha ensuite avec ses mains.

– Vous allez m'aider, oui? dit-il à Thorn.

A contrecœur, celui-ci plongea ses doigts engourdis dans le sol.

Au bout d'une demi-heure, sales, en sueur, ils balayaient d'un revers de main les derniers morceaux de terre qui restaient sur les deux couvercles, qui étaient en ciment. Ils s'accroupirent et contemplèrent les sépultures en se demandant ce qu'ils devaient faire.

– Vous sentez cette odeur? dit Jennings.

– Oui.

– Ils ont dû faire cela en hâte, sans se préoccuper des règles d'hygiène.

Le visage défiguré par l'angoisse, Thorn ne répondit rien.

– Par lequel commence-t-on? demanda Jennings.

– Vous croyez vraiment qu'il faut le faire?

– Oui.

– J'ai l'impression de commettre une faute.

– Si vous ne voulez pas m'aider, je vais chercher le chauffeur.

Thorn grinça des dents et fit un signe d'assentiment.

– Alors allons-y, reprit Jennings. Commençons par le plus grand.

Jennings frappa un grand coup avec son démonte-pneu et parvint à en insérer la pointe entre le couvercle et le bord de la fosse. Puis il pesa de toutes ses forces sur l'extrémité de la barre, jusqu'à ce que la plaque de ciment se soulève suffisamment pour qu'on puisse la prendre avec les mains.

– Aidez-moi, nom d'un chien! hurla-t-il à Thorn.

Celui-ci obéit promptement et fit tous ses efforts pour aider Jennings à soulever l'énorme couvercle.

– Cette saloperie fait au moins une tonne, grommela Jennings en pesant de toutes ses forces contre le couvercle qui s'ouvrait lentement.

Quand il fut enfin levé et tenu perpendiculairement, les deux hommes eurent énormément de mal à le maintenir en équilibre, pendant qu'ils regardaient à l'intérieur de la fosse.

– Mon Dieu! haleta Jennings.

Ils venaient d'apercevoir ce qui gisait au fond : une carcasse de chacal. Les mouches et les vers grouillaient sur le squelette, auquel adhéraient encore quelques morceaux de peau.

Horrifié, Thorn ouvrit la bouche toute grande et recula brutalement : le couvercle lui échappa des mains, et se fracassa au fond de la fosse, chassant un nuage de mouches. Jennings pris de terreur, se précipita vers Thorn, glissa dans la boue, parvint néanmoins à s'accrocher à son compagnon et essaya de l'entraîner au loin.

– Non! hurla Thorn.

– Partons!

– Non! haleta Thorn. L'autre maintenant!

– Pourquoi? nous avons vu ce que nous voulions.

– Non, l'autre, gémit Thorn avec désespoir. Peut-être que c'est un animal aussi.

– Et alors?

– Alors peut-être que mon enfant est vivant quelque part!

Jennings s'arrêta, bouleversé par le tourment de Thorn. Empoignant la barre de fer, il l'enfonça sous le plus petit couvercle. Thorn mit ses doigts dans l'interstice et souleva la plaque de ciment, tandis que Jennings pesait sur le levier. Le couvercle s'ouvrit d'un coup. Le visage de Thorn se tordit de douleur : dans le petit cercueil, il y avait les restes d'un enfant au crâne affreusement broyé.

– ... Sa tête..., sanglota Thorn.

– ... Seigneur!

– Ils l'ont tué!

– Partons d'ici!

– Ils ont assassiné mon fils! hurla Thorn.

Le couvercle retomba et les deux hommes se regardèrent horrifiés.

– Ils l'ont tué, répéta Thorn en pleurant. Ils ont assassiné mon fils!

Jennings força Thorn à se dominer et tenta de l'entraîner au loin. Tout à coup, il s'arrêta et tressaillit d'épouvante.

– Thorn!

Thorn se retourna pour voir ce qui alertait Jennings : un peu plus loin, il y avait un chien noir; ses yeux très rapprochés lançaient des éclairs, la salive dégouttait de sa gueule entrouverte. Ils entendirent un affreux grognement, qui venait des buissons. Cloués sur place, Thorn et Jennings virent l'animal sortir lentement de dessous les arbres : c'était un berger allemand, maigre et lacéré de cicatrices. Sur l'un de ses flancs, une plaie infectée suintait; le pus collait aux touffes de son poil terne. A côté du molosse, les buissons se mirent à bouger et une autre tête de chien apparut, toute grise; le museau était blessé et dégoulinait de bave. Puis un autre surgit, et encore un autre. Le cimetière tout entier se mettait à bouger. Une dizaine de dogues, à la gueule béante et au pelage sombre, s'assemblaient en meute démente, ivre de rage et de cruauté.

Les bêtes fixaient Thorn et Jennings qui, pétrifiés, n'osaient ni faire un mouvement ni même se regarder.

– Ils ont senti... les cadavres, souffla Jennings... tâchons de reculer.

Retenant leur souffle, ils firent quelques pas en arrière. Immédiatement, les chiens avancèrent, le museau au ras du sol, comme s'ils suivaient une piste. Thorn chancela et laissa échapper un cri involontaire; Jennings saisit sa main pour essayer de le calmer.

– Surtout, ne courez pas... Ce sont les cadavres... qu'ils cherchent.

Mais les chiens dépassèrent les deux tombes sans s'arrêter : ils avançaient toujours, les yeux exclusivement fixés sur les hommes. D'une démarche souple et feutrée, les molosses se rapprochaient sans cesse. Jennings jeta un coup d'œil derrière lui : il leur restait encore cent mètres à parcourir avant d'atteindre la grille. Thorn trébucha à nouveau et s'agrippa plus fort à Jennings. Reculant toujours, ils se heurtèrent à quelque chose de dur. Thorn frissonna. Ils se trouvaient au pied de la grande idole de pierre. Les chiens se déployèrent aussitôt en arc de cercle autour d'eux, bloquant ainsi toute issue. Ils étaient pris au piège. Pendant un instant terrible, nul ne bougea : les prédateurs et les proies s'observaient, immobiles, les yeux de feu et les crocs ruisselants de bave, tenant à leur merci les hommes épouvantés.

Le soleil avait disparu et seul un maigre rayon rougeâtre les éclairait. Thorn chancela encore et se rattrapa à une pierre tombale. Les chiens et les hommes semblaient attendre un signal pour se mettre en mouvement. Les secondes passaient. Tous bandaient leurs muscles : les hommes debout, les bêtes tapies, prêtes à bondir.

Poussant un cri de guerre, Jennings lança le démonte-pneu en direction du chien de tête, et la meute tout entière se déchaîna. Les molosses bondirent, s'élançèrent sur les hommes qui tentaient de fuir en courant. Jennings fut presque immédiatement jeté à terre, et les animaux l'attaquèrent à la gorge. Pour se protéger, il se roula en boule; les lanières de ses appareils lui sciaient la nuque mais le protégeaient partiellement des terribles crocs. Il luttait désespérément, son appareil serré sous le menton; les objectifs volèrent en éclats sous la morsure des crocs.

Tout d'abord, les chiens ne s'étaient pas intéressés à Thorn et l'avaient laissé s'enfuir un peu plus loin. Mais quand il approcha de la grille, un énorme animal sauta sur lui et lui planta profondément ses crocs dans le dos. Thorn tenta de fuir malgré tout, mais la bête ne lâchait pas prise, avançait sur ses pattes arrière, les pattes avant battant l'air à la hauteur des épaules du fugitif. Thorn tomba à genoux et lutta de toutes ses forces pour gagner du terrain. D'autres chiens se ruèrent sur lui et lui coupèrent la retraite. Les mâchoires des animaux s'ouvraient et se refermaient affreusement, des jets de bave volaient de toutes parts. Thorn hurlait et se débattait désespérément pout atteindre la grille. Mais les chiens l'assaillaient sans relâche. Il se roula en boule. Des douleurs cuisantes lui déchiraient le dos à chaque fois que les crocs s'enfonçaient dans sa chair. L'espace d'un éclair, il vit Jennings qui se tordait à terre sous les morsures des chiens. Tout à coup, Thorn oublia sa propre douleur et se tendit tout entier dans une volonté éperdue de fuite. A quatre pattes, il avança vers la grille, les gueules des chiens toujours plantées dans son échine. Sa main rencontra quelque chose de froid : c'était le démonte-pneu que Jennings avait lancé. Il l'empoigna, le serra de toutes ses forces et porta un coup violent dans la masse animale accrochée derrière lui. Au gémissement qui déchira l'air, il sut que le coup avait porté. Un jet de sang lui inonda le visage; un chien retomba près de lui, l'œil pendant, lié à l'orbite par un filament rouge. Un sursaut de courage anima Thorn : il se remit à frapper au hasard, puis, tenant le levier à deux mains, lui faisant décrire des arcs de cercle meurtriers, il parvint peu à peu à se dégager.

Jennings, à force de rouler sur lui-même, avait atteint le pied d'un arbre, mais les chiens, déchaînés, s'acharnaient de plus belle sur l'appareil et sur les lanières autour de son cou. Un mouvement désespéré de Jennings fit accidentellement fonctionner le flash. Effrayés, les animaux reculèrent devant cet éclair blanc.

Thorn était debout maintenant, balançant toujours le levier de droite à gauche, frappant des crânes, des gueules béantes, atteignant ainsi peu à peu la grille.

Jennings, qui avait réussi à sauter de l'arbre, tenait en respect les chiens en appuyant sur le déclic du flash chaque fois qu'ils avançaient et parvint lui aussi à gagner la grille. Se dirigeant rapidement vers Thorn, il le protégea des attaques des chiens pendant qu'il montait sur la grille. Les vêtements déchirés, le visage en sang, Thorn tentait d'escalader les pointes acérées, mais il glissa soudain; une des pointes rouillées s'enfonça profondément dans son aisselle. Hurlant de douleur, il rassembla ses dernières forces, parvint à se hisser de nouveau, à franchir la grille, et tomba lourdement. Jennings le suivit, utilisant toujours son flash. Il le lança aux chiens juste avant de franchir la grille. Il courut jusqu'à Thorn qui tremblait de tous ses membres, lui prit le bras, le passa autour de son cou et l'aida à marcher jusqu'à la voiture. Le chauffeur les regardait, encore à moitié endormi, puis il poussa un cri d'épouvante. Il voulut tourner la clef de contact, ne la trouva pas; il sortit précipitamment et aida Jennings à installer Thorn sur la banquette arrière. En courant vers le coffre pour retirer la clef de la serrure, il regarda les chiens. Leur folie meurtrière inassouvie, ils s'écrasaient contre la grille en hurlant de rage. L'un d'eux essaya même de sauter par-dessus; il y parvint presque, mais une des pointes se ficha dans sa gorge, d'où le sang jaillit en torrent. Dans leur démence collective, les autres s'acharnèrent sur lui, le dévorant vivant tandis que ses pattes frappaient l'air sauvagement et qu'il continuait ses hurlements terribles.

La voiture démarra en trombe; la portière arrière mal fermée, allait et venait. Le chauffeur horrifié regarda les deux hommes dans son rétroviseur : ils n'avaient plus rien d'humain, ils étaient deux tas de chiffons sanglants. Et ils se tenaient embrassés, sanglotant comme deux enfants.

11

Le chauffeur les avait conduits au service des urgences d'un hôpital, avait déposé leurs bagages et s'était empressé de partir. Thorn était tellement commotionné que Jennings s'était chargé de répondre à toutes les questions, donnant de fausses identités et fabriquant de toutes pièces une histoire qui parût plausible au personnel hospitalier. Ils étaient ivres, dit-il, et s'étaient aventurés dans une propriété privée sans tenir compte des écriteaux indiquant la présence de chiens méchants. Cela se passait en dehors de Rome, mais il était incapable de se rappeler où. Il se souvenait seulement qu'il y avait de très grandes grilles avec des pointes acérées sur lesquelles était tombé son ami. On leur administra à tous deux un vaccin antitétanique et l'on pansa leurs blessures. Puis on leur dit de revenir une semaine plus tard pour une prise de sang, afin de s'assurer que le sérum avait agi. Avant de quitter l'hôpital, ils purent changer de vêtements. Ils trouvèrent un petit hôtel dont ils remplirent le registre sous de faux noms. Le concierge leur donna la clef d'une chambre à deux lits, mais en leur faisant payer d'avance.

Thorn essayait maintenant de joindre Katherine au téléphone. Jennings faisait nerveusement les cent pas dans la chambre.

– Ils auraient pu vous tuer, et ils ne l'ont pas fait remarqua Jennings d'un ton angoissé. C'est à moi qu'ils en voulaient, ils s'acharnaient sur mon cou!

En levant le bras pour faire taire Jennings, Thorn laissa apparaître une tache de sang noirâtre qui maculait sa chemise.

– Vous entendez ce que je vous dis, Thorn? Ils s'acharnaient sur mon cou!

– Est-ce l'hôpital? demanda Thorn au téléphone. Oui, elle est dans la chambre 4A.

– Mon Dieu! Si je n'avais pas eu mon appareil... poursuivit Jennings.

– Taisez-vous, s'il vous plaît! C'est urgent.

– Il faut faire quelque chose, Thorn! Vous m'entendez?

Thorn se tourna vers Jennings et regarda fixement les marques que les courroies avaient laissées sur le cou de son compagnon.

– Trouvez la ville de Meggido, dit-il posément.

– Comment diable voulez-vous que je la trouve?

– Je ne sais pas. Allez dans une bibliothèque.

– Une bibliothèque? Seigneur!

– Allô? dit Thorn au téléphone. Katherine?

Dans son lit d'hôpital, Katherine se redressa, frappée par le ton pressant de son mari. Elle tenait le téléphone de la main gauche, la droite étant toujours immobilisée dans le plâtre.

– Tu vas bien? demanda Thorn d'un ton angoissé.

– Oui. Et toi?

– Oui. Je voulais juste savoir...

– Où es-tu?

– A Rome, dans un hôtel appelé l'Imperator.

– Qu'est-ce qui ne va pas?

– Rien.
– Es-tu malade?
– Non, je me suis fait du souci...
– Reviens, Bob!
– Je ne peux pas revenir tout de suite.
– J'ai peur.
– Il n'y a pas de quoi avoir peur.
– J'ai appelé à la maison et personne n'a répondu.

Dans la chambre d'hôtel, Thorn regarda Jennings qui changeait de chemise pour sortir.

– Bob, dit Katherine, je crois que je ferais mieux de rentrer à la maison.
– Reste où tu es, lui commanda Thorn.
– Je me fais du souci pour Damien.
– N'approche pas de la maison, Katherine.
– Je dois...
– Ecoute-moi, Katherine. N'approche pas de la maison.

Inquiète du ton de son mari, Katherine se tut un instant.

– Si tu as peur que je fasse une bêtise, reprit-elle, tu n'as rien à craindre. J'ai parlé au psychiatre et je vois les choses plus clairement maintenant. Ce n'est pas Damien qui est la cause de tout, c'est moi.
– Katherine!
– Ecoute-moi. Je prends un médicament qui s'appelle du lithium. C'est un médicament pour les dépressions, et il me fait de l'effet. Je veux rentrer à la maison et je veux que tu reviennes. (Elle fit une pause avant de reprendre d'une voix sourde :) Et je veux que tout aille bien.
– Qui t'a donné ce médicament?
– Le Dr Greer.
– Reste à l'hôpital, Katherine. Ne pars pas avant que je vienne te chercher.
– Je veux rentrer, Bob!

— Pour l'amour du Ciel!...
— Je vais très bien.
— Tu ne vas pas très bien.
— Ne t'inquiète pas.
— Katherine!
— Je rentre à la maison, Bob.
— Ne fais pas ça, j'arrive.
— Quand?
— Demain matin.
— Mais s'il se passe quelque chose à la maison? J'ai téléphoné là-bas...
— Il s'est passé quelque chose à la maison, Katherine.
Elle se tut, glacée par ce qu'il venait de dire.
— Bob? demanda-t-elle calmement, que s'est-il passé là-bas?
— Attends que je revienne. Surtout, ne bouge pas de l'hôpital. Je serai là demain matin et je t'expliquerai tout.
— Je t'en prie, ne me fais pas cela...
— Ce n'est pas toi, Katherine. Toi, tu vas parfaitement bien.
— Que dis-tu?
Dans la chambre d'hôtel, Jennings foudroya Thorn du regard et secoua gravement la tête.
— Bob!
— Il n'est pas notre fils, Katherine. Damien est le fils de quelqu'un d'autre.
— Quoi?
— Ne va pas à la maison. Attends-moi là où tu es.
Il raccrocha. Katherine, stupéfiée, ne fit pas un geste jusqu'à ce que l'écouteur se mette à bourdonner. Alors elle le reposa lentement et regarda les ombres qui jouaient sur les murs de sa chambre située au sixième étage de l'hôpital. La brise estivale secouait les rameaux des arbres du jardin. Katherine était angoissée, mais elle découvrait que la peur

panique qui accompagnait autrefois ses angoisses avait disparu. Le médicament devait agir, car elle gardait toute sa lucidité. Elle souleva le combiné et composa à nouveau le numéro de Pereford. Cette fois encore, aucune réponse. Elle se tourna alors du côté de l'interphone placé à la tête de son lit, et, après bien des efforts, parvint à appuyer sur le bouton.

– Oui, madame? répondit une voix.

– Je dois quitter l'hôpital. Faut-il que je voie quelqu'un avant de partir?

– Vous devez avoir l'autorisation de votre docteur.

– Pouvez-vous me le trouver, s'il vous plaît?

– Je vais essayer.

Il y eut un déclic, et Katherine resta assise, sans bouger. Une fille de salle lui apporta son déjeuner, mais elle n'avait pas faim. Il y avait un entremets à la gelée sur le plateau : Katherine l'effleura sans raison; le contact frais du flan à la gélatine l'apaisa; elle se mit à le triturer du bout des doigts.

A plusieurs centaines de kilomètres de là, les nuages s'amoncelaient au-dessus du cimetière de Cerveteri. Un lourd silence régnait, à peine troublé par un bruit feutré de terre remuée. Près des sépultures violées, deux molosses grattaient le sol : d'un mouvement mécanique de leurs pattes avant, ils recouvraient sans trêve, d'une fine poussière de terre meuble, les ossements du chacal et ceux de l'enfant. Loin derrière eux, le corps étripé d'un chien pendait sans vie à la pointe d'une grille rouillée, tandis qu'un de ses compagnons esseulé, la tête tendue vers le ciel, hurlait à la mort. Le sinistre gémissement parcourut le cimetière; il s'amplifia lentement à mesure que les autres carnassiers, un à un, faisaient chorus au premier. Bientôt, l'air tout entier résonna du son terrifiant de cette funeste mélopée.

Dans sa chambre d'hôpital, Katherine poussa à nouveau le bouton de l'interphone.
– Y a-t-il quelqu'un? demanda-t-elle d'une voix qui trahissait son impatience.
– Oui? répondit une voix.
– Je vous ai demandé de trouver mon docteur.
– Je suis désolée. Je n'y suis pas arrivée. Il doit être en salle d'opération.
L'agacement se lisait clairement sur le visage de Katherine.
– Pouvez-vous venir m'aider, s'il vous plaît?
– Je vais tâcher de vous envoyer quelqu'un.
– Dépêchez-vous, s'il vous plaît.
– Je vais faire de mon mieux.
Elle se leva à grand-peine, se dirigea vers la penderie, où elle décrocha rapidement ses vêtements. La robe-sac serait facile à mettre; tout le problème était d'enlever la chemise de nuit dont l'empiècement se boutonnait jusqu'au col. Elle se regarda dans la glace en se demandant comment elle arriverait à se dévêtir avec son plâtre. Elle se trouvait ridicule dans sa chemise de nuit en voile rouge, avec son bras plâtré. Katherine tira sur les boutons et, ne réussissant pas à les défaire, s'énerva de plus en plus. Les boutons craquèrent subitement. Tant bien que mal, Katherine fit passer la partie supérieure de sa chemise de nuit par-dessus sa tête, mais elle s'entortilla dans l'ampleur du tissu et se trouva prise dans une masse de brouillard rouge.
Dans le cimetière, l'air résonnait d'aboiements de plus en plus rageurs. A l'hôpital, Katherine se débattait dans son filet, l'enroulant toujours plus serré autour de sa tête et de son cou. Elle sentit une vague de frayeur déferler sur elle et se mit à respirer difficilement; la porte s'ouvrit soudain. Katherine se détendit, persuadée que l'on venait enfin à son aide.
Un bruit déchirant emplissait le cimetière de

Sant' Angelo où les hurlements des bêtes atteignaient leur point culminant.

– Qui est là? demanda Katherine en essayant de voir qui était entré.

Mais personne ne lui répondit; elle tourna sur elle-même pour jeter un regard circulaire, au travers du voile rouge.

C'était Mrs Baylock, le visage poudré de blanc, la bouche grossièrement peinte en rouge. Muette d'étonnement, Katherine vit la femme traverser lentement la chambre, ouvrir la fenêtre et regarder dans la rue.

– Pourriez-vous m'aider? demanda Katherine. Je n'arrive pas... à me dépêtrer de là.

Pour toute réponse, Mrs Baylock sourit à belles dents et Katherine frémit en voyant l'expression de son visage.

– Il fait un temps magnifique, Katherine, dit Mrs Baylock, un temps magnifique pour voler.

Et elle s'approcha, saisissant à pleines mains le fin tissu de la chemise de nuit.

– Je vous en prie, supplia Katherine.

Leurs yeux se croisèrent pendant une longue minute, la dernière.

– Vous êtes si belle, susurra Mrs Baylock. Embrassez-moi.

Elle se pencha vers Katherine; celle-ci voulut se dégager, mais d'un mouvement sec, la femme la fit pivoter violemment vers la fenêtre.

A l'hôpital, dans un crissement de pneus et un hurlement de sirène, une ambulance, sa lampe rouge tournant sur le toit, s'arrêta devant l'entrée des urgences. Juste au-dessus, à une fenêtre du sixième étage, une femme, la tête enveloppée dans une chemise de nuit rouge, prit gracieusement son envol. La mince silhouette tourna lentement sur elle-même en tombant, son bras plâtré décrivant d'élégantes arabesques. Personne ne vit le corps jusqu'à ce qu'il heurte le toit de l'ambulance, puis rebondisse avant de s'écraser au seuil de la salle des urgences.

Le silence régnait maintenant à Cerveteri : ayant recouvert les tombes, les chiens avaient disparu dans les fourrés.

Epuisé, Thorn dormait profondément quand il fut réveillé par la sonnerie du téléphone. Il faisait complètement noir et Jennings était absent.

– Allô? répondit Thorn d'une voix ensommeillée.

A l'autre bout du fil, le ton du Dr Becker laissa présager un malheur.

– Je suis soulagé d'avoir pu vous joindre. Le nom de votre hôtel était écrit sur la table de nuit de Katherine, mais j'ai eu beaucoup de mal à trouver...

– Qu'y a-t-il? demanda Thorn.

– Je suis navré de vous annoncer une telle chose au téléphone.

– Qu'est-t-il arrivé?

– Votre femme a sauté de la fenêtre de sa chambre.

– Quoi?... dit Thorn dans un souffle.

– Elle est morte, Mr Thorn. Nous avons fait l'impossible...

Quelque chose se noua dans la gorge de Thorn et il fut incapable de répondre.

– Nous ne savons pas exactement ce qui est arrivé. Elle avait demandé de quitter l'hôpital, et nous l'avons trouvée dehors, par terre.

– Elle est morte...? demanda Thorn d'une voix briséee.

– Oui, sur le coup. Elle est tombée tête la première sur le sol.

Thorn se mit à gémir, serrant le combiné contre sa poitrine.

– Mr Thorn? appela le médecin.

Mais seul un bourdonnement lui répondit : la communication avait été coupée. Dans le noir, Thorn pleurait; le bruit de ses sanglots se répercuta dans le couloir et le veilleur de nuit vint jusqu'à la porte; il frappa, mais le silence se fit dans la chambre. Il n'entendit plus aucun bruit.

A minuit, Jennings rentra, sa silhouette dégingandée courbée par la fatigue. Il regarda Thorn affalé sur son lit.

– Thorn?

– Oui, répondit faiblement Thorn.

– J'ai été à la bibliothèque, puis au Touring Club, et pour finir j'ai téléphoné à la Société royale de Géographie.

Thorn ne dit rien. Jennings s'assit lourdement de l'autre côté du lit. Il remarqua que la tache de sang sur la chemise à l'emplacement de l'aisselle, noire et humide, s'était agrandie.

– J'ai trouvé la ville de Meggido. Ça vient du mot Armageddon. La fin du monde.

– Où se trouve-t-elle? demanda Thorn d'un ton dénué d'intérêt.

– J'ai bien peur qu'elle ne soit à peu près à quinze mètres sous terre, en dehors de Jérusalem. On fait des fouilles par là actuellement. Une université américaine.

Il n'y eut aucune réponse et Jennings se dirigea vers son propre lit où il s'étendit, recru de fatigue.

– Je veux y aller, dit Thorn tout bas.

Jennings hocha la tête, poussa un gros soupir :

– Si vous pouviez seulement vous rappeler le nom du vieillard...

– Bugenhagen.

Jennings jeta un coup d'œil à Thorn mais ne vit pas ses yeux.

– Bugenhagen?

– Oui. Et je me suis souvenu du poème aussi.

Le visage de Jennings trahit sa surprise.

– L'homme que vous devriez voir s'appelle Bugenhagen?

– Oui.

– Mais Bugenhagen était un exorciste du XVIIe siècle. On parle de lui dans un des livres que nous avons.

– C'est bien ce nom-là, répliqua Thorn d'une voix morne. Je me rappelle tout. Tout ce qu'il m'a dit.

– Alleluia! marmonna Jennings.

– « Quand les Juifs retourneront à Sion, récita Thorn à mi-voix... Et qu'une comète apparaîtra au firmament... Et que le Saint Empire Romain redeviendra puissant... alors, nous mourrons tous. »

Etendu dans le noir, Jennings écoutait attentivement. Au ton neutre de Thorn, il sentit que quelque chose avait changé chez son compagnon.

– « Il montera de la Mer Eternelle, poursuivit Thorn, avec des armées sur chaque rivage... Tournant chaque homme contre son propre frère... jusqu'à ce qu'il ne reste plus un homme vivant. »

Il se tut. Jennings attendit qu'il reprenne la récitation du poème; un car de police passa dans la rue.

– Est-il arrivé quelque chose? demanda enfin Jennings.

– Katherine est morte, répondit Thorn simplement. Et je veux que l'enfant meure aussi.

Ils tendirent l'oreille aux bruits de la rue et, à l'aube, ni l'un ni l'autre ne dormaient encore. Toutes allées et venues s'étaient tues sous leur fenêtre. A 8 heures, Jennings appela la compagnie El-Al et retint deux places sur le vol de l'après-midi à destination d'Israël.

Malgré les nombreux voyages qu'il avait faits, Thorn n'était jamais allé en Israël. Tout ce qu'il savait de cette nation et de son peuple venait des articles qu'il avait lus dans les journaux et des dernières recherches qu'il avait faites dans la Bible. Il fut frappé par l'aspect moderne de ce pays, conçu aux temps des pharaons et arrivé maintenant à l'ère de l'asphalte et du béton. On eût dit un immense cube en ciment jeté au milieu d'un désert aride. Sur ce ciel, jadis témoin de l'exode à dos de chameau, se détachaient maintenant des gratte-ciel et des tours imposantes. De toutes parts, bourdonnaient les bruits des chantiers en pleine activité. Tels des éléphants mécaniques, d'énormes grues déplaçaient toujours plus haut leurs bennes emplies de matériaux de construction. La ville entière semblait partir dans toutes les directions. Des marteaux-piqueurs éventraient les rues et les trottoirs. Partout des affiches incitaient les touristes à visiter la Terre Promise. La police, elle aussi, se manifestait beaucoup; les agents vérifiaient les bagages et les sacs à main, traquant sans relâche les terroristes.

Les visages contusionnés de Thorn et de Jennings éveillèrent la méfiance. Ils furent arrêtés à l'aéroport. Au lieu de se présenter comme une éminente personnalité américaine, Thorn préféra utiliser son passeport civil. Pour le vol Londres-Rome, où les contrôles étaient moins rigoureux, leur avion privé leur avait évité bien des contrôles administratifs. Mais ici, la meilleure façon de passer inaperçu était de voyager comme monsieur tout-le-monde et de lui ressembler le plus possible.

Ils se rendirent à l'hôtel Hilton et achetèrent des vêtements légers dans la galerie marchande du sous-sol. Il faisait d'autant plus chaud en ville que le béton réfractait les rayons du soleil. La transpiration inondait le pansement de Thorn et avivait la douleur de son aisselle. Quand il se changea, Jennings, voyant la plaie moins noire mais suppurant toujours, conseilla à Thorn de consulter un médecin. Thorn refusa. La seule chose qu'il voulait, c'était voir Bugenhagen.

Quand ils sortirent, il faisait déjà sombre. Ils se promenèrent dans les rues, ne pouvant rechercher le vieillard à cette heure. Thorn se sentait faible et transpirait abondamment; ils s'arrêtèrent à la terrasse d'un café pour commander du thé, cela ragaillardirait peut-être Thorn. Ils trouvaient peu de chose à se dire à présent. Le morne silence de Thorn accablait Jennings, qui regardait distraitement le va-et-vient de la rue. Ses yeux s'arrêtèrent sur deux femmes qui les observaient un peu plus loin.

– Vous savez ce qu'il nous faut pour ne plus penser à toutes ces histoires? dit-il à Thorn.

Thorn suivit le regard de Jennings et vit les deux femmes qui s'approchaient de leur table.

– Je prends celle qui a des grains de beauté, murmura Jennings à Thorn qui le toisait.

Le photographe se leva et offrit poliment un siège aux femmes.

– Vous parlez anglais? leur demanda-t-il tandis qu'elles s'installaicnt.

Elles sourirent pour lui faire comprendre que non.

– C'est mieux comme ça, dit Jennings à Thorn. Tout ce qu'on a à faire, c'est de parler par gestes.

Thorn regarda Jennings avec dégoût.

– Je rentre à l'hôtel, dit-il.

– Pourquoi n'attendez-vous pas de voir ce qui est au menu?

– Je n'ai pas faim.

– Mais cela a peut-être beaucoup de goût, conclut Jennings dans un sourire.

Thorn, réalisant enfin le sens de l'allusion, se leva et s'en alla.

– Ne faites pas attention à lui, dit Jennings aux filles, c'est un raciste.

A quelques pas de là, Thorn se retourna et vit que Jennings s'occupait déjà sérieusement de ses invitées. Ecœuré, il s'enfonça dans la nuit.

Il marcha sans but, anéanti par le chagrin qui le submergeait. Sous son bras, la blessure l'élançait, le bruit de la rue lui brisait la tête. Si la mort fondait soudainement sur lui, il l'accueillerait comme une délivrance. Il passa devant une boîte de nuit dont le portier lui saisit le bras pour l'inciter à entrer. Mais il continua son chemin, ne sentant rien, n'entendant rien, ne voyant les réverbères qu'à travers un voile de brume. Beaucoup plus loin, des gens sortaient en rang d'une synagogue. Thorn s'approcha, vit les portes grandes ouvertes et entra. L'Etoile de David scintillait au-dessus d'un autel et d'une châsse contenant des rouleaux de parchemin. Thorn monta jusqu'à l'autel et se tint immobile devant la châsse, tout seul dans ce lieu où régnait le silence.

– Puis-je vous aider? demanda une voix qui venait d'un coin plongé dans la pénombre.

Thorn détourna la tête et vit un vieux rabbin se diriger vers lui.

Tout de noir vêtu, il marchait courbé par les rhumatismes, et son petit chapeau carré, défiant les lois de l'équilibre, restait obstinément juché sur sa tête.

– C'est la plus ancienne Thora d'Israël, dit-il en montrant les rouleaux de parchemin. On l'a déterrée près du rivage de la Mer Rouge.

Thorn contempla le vieillard : ses yeux décolorés par la cataracte brillaient de fierté.

– Toute l'Histoire est enterrée dans le sol d'Israël, c'est une pitié qu'il faille marcher dessus.

Il se tourna vers Thorn et sourit.

– Vous êtes de passage?

– Oui.

– Qu'est-ce qui vous a poussé à venir ici?

– Je cherche quelqu'un.

– Je suis venu pour la même raison. Je cherchais ma sœur. Je ne l'ai pas trouvée; peut-être marchons-nous aussi sur elle, répondit le rabbin en souriant.

Il se fit un silence; le rabbin étendit le bras pour éteindre une lampe.

– Avez-vous déjà entendu le nom de Bugenhagen? demanda Thorn.

– C'est un Polonais?

– Je ne sais pas.

– Il vit en Israël?

– Je crois que oui.

– Que fait-il?

Thorn eut l'impression de passer pour un imbécile et secoua la tête.

– Je ne sais pas.

– C'est un nom qui me dit quelque chose.

Ils restèrent un moment silencieux, le rabbin réfléchissait comme s'il était sur le point de se rappeler.

– Savez-vous ce que c'est qu'un exorciste?

– Un exorciste? demanda le vieillard dans un sourire. Vous voulez dire quelqu'un qui chasse le diable?

– Oui.

Le rabbin éclata de rire.

– Pourquoi riez-vous?

– Ça n'existe pas!

– Non?

– Le Démon, ça n'existe pas!

Il s'enfonça dans l'ombre, s'étouffant de rire, comme s'il venait d'entendre une plaisanterie. Thorn regarda une dernière fois les rouleaux de parchemin, puis s'en alla.

Jennings rentra très tôt le lendemain et épargna à

Thorn le récit de ses exploits de la nuit. Ce compagnon si vulgaire écœurait Thorn, mais celui-ci appréhendait encore plus de se retrouver seul.

– Partons, dit Jennings en saisissant le sac qui contenait son attirail de photographe. En rentrant ce matin, j'ai pris deux places pour aller visiter les fouilles.

Ils montèrent dans un minibus où se trouvaient déjà dix autres touristes et traversèrent le vieux Jérusalem. Ils s'arrêtèrent au Mur des Lamentations. Les étrangers se bousculèrent pour prendre des photos. Le mercantilisme atteignait ici des proportions effarantes : des vendeurs criant à tue-tête se frayaient un passage dans la foule des Juifs en prière et brandissaient leurs marchandises disparates qui allaient du hot-dog aux reproductions en plastique du Christ en croix. Jennings acheta deux de ces crucifix, suspendit l'un autour de son cou et donna l'autre à Thorn.

– Mettez-le, mon vieux. On risque d'en avoir besoin.

Mais Thorn refusa : cette façon de se conduire comme dans une fête foraine l'irritait au plus haut point.

La traversée du désert fut moins divertissante; le guide leur montra avec insistance les hauteurs du Golan et ne leur épargna pas le récit du conflit qui opposait Juifs et Arabes depuis plusieurs années. Quand le car passa en cahotant dans la rue principale du village de Daa-lot, où des écoliers juifs avaient été massacrés par des terroristes arabes, le guide ne manqua pas de proclamer que ses compatriotes s'étaient vengés en capturant à leur tour des terroristes arabes; après les avoir exécutés, ils avaient livré leurs cadavres à des écoliers, leur ordonnant de les piétiner jusqu'à les réduire en bouillie.

– Nous savons maintenant pourquoi ils se lamentent tant! souffla Jennings.

Thorn ne répondit pas et tous deux gardèrent le silence pendant le reste du voyage.

Quand les touristes, fatigués, transpirant et de mauvaise humeur, atteignirent enfin l'endroit des fouilles archéologiques, le guide leur montra l'emplacement délimité par des cordes et se lança dans des explications sur les travaux qu'on y effectuait. Sous leurs pieds se trouvaient les carrières du roi Salomon, vaste dédale de fossés et de canaux qui aboutissaient, sans doute soixante kilomètres plus loin, à Jérusalem même. Il y avait de fortes chances pour que l'on découvre quelque part, dans ce vaste réseau, les ruines d'une ancienne cité. D'après de nombreux érudits, c'était là qu'avait été écrite la Bible. On avait déjà trouvé, soigneusement enveloppés dans des linges et enfermés dans des poteries, des manuscrits relatant des récits très proches de l'Ancien Testament. Il n'en demeurait pas moins que les fouilles étaient une entreprise ambitieuse et difficile puisqu'on ignorait l'emplacement exact de la cité; de plus, il ne pouvait être question de travailler au bulldozer, il fallait, au contraire, n'avancer que centimètre par centimètre en s'aidant seulement d'une pique et d'une brosse.

Pendant que le guide récitait son texte, Jennings et Thorn tentèrent de glaner quelques renseignements auprès des étudiants en archéologie, mais ils furent déçus : le nom de Bugenhagen ne disait rien aux jeunes gens. Quant à la ville de Meggido, tout ce qu'ils savaient était que, il y a des siècles, elle avait été enfouie par une secousse tellurique.

Rentrés à l'hôtel, Thorn et Jennings décidèrent de se promener dans les rues et de demander aux gens s'ils avaient entendu parler de Bugenhagen. Les personnes interrogées répondirent invariablement par la négative, mais ils n'en poursuivirent pas moins leurs recherches. Thorn, de plus en plus désespéré, voyait ses forces décliner d'heure en heure. Pour éviter qu'il ne se fatigue inconsidérément, Jennings se chargea des démarches les plus épuisantes. Il se rendit dans les usines, dans les magasins, consulta les annuaires du téléphone et alla jusqu'à s'adresser à la police.

— Il a dû changer de nom, soupira-t-il en s'asseyant à côté de Thorn sur le banc d'un square, le surlendemain de leur arrivée. Peut-être s'appelle-t-il Georges Bugen, ou Jacques Hagen, ou Izzi Hazenberg.

Le troisième jour, ils louèrent une chambre dans un petit hôtel de Jérusalem et descendirent en ville pour interroger une fois de plus les passants. Mais ils revinrent bredouilles. Ils ne pouvaient continuer indéfiniment de la sorte.

— Je crois qu'il faut abandonner, remarqua Jennings qui contemplait la ville de la véranda de leur chambre.

Il faisait chaud, et Thorn, baigné de sueur, s'était couché sur son lit.

— S'il y a un Bugenhagen ici, nous n'avons pas une chance sur mille de tomber dessus. Et si ça se trouve, il n'existe même pas.

Jennings entra dans la chambre et fouilla partout pour trouver une cigarette.

— Mais, bon sang! Ce petit prêtre était sous l'influence de la morphine la plupart du temps, et nous sommes là à prendre des racontars pour paroles d'Evangile. Encore heureux qu'il ne nous ait pas conseillé d'aller sur la lune, on serait en train de crever de froid là-haut. (Il s'assit lourdement sur son lit et jeta un regard à Thorn.) Je n'y comprends rien, Thorn. Tout avait l'air de tenir debout avant, et maintenant, c'est un véritable méli-mélo.

Thorn acquiesça d'un signe de tête et fit un effort pour s'asseoir. Il avait enlevé son pansement et Jennings fit la grimace quand il aperçut la blessure.

– Ça n'a pas bonne mine, dit-il.

– Ça va bien.

– Ça me semble infecté.

– Ça va très bien, répéta Thorn.

– Je crois qu'il faudrait que je trouve un médecin.

– Trouvez juste le vieillard, dit Thorn sèchement, c'est tout ce qui m'intéresse.

Jennings s'apprêtait à répondre quand on frappa à la porte. Il se précipita pour ouvrir. C'était un mendiant arabe, très petit, torse nu, qui le salua avec obséquiosité.

– Que voulez-vous? demanda Jennings.

– Vous cherchez un vieillard?

Thorn et Jennings échangèrent un rapide coup d'œil.

– Quel vieillard? s'enquit prudemment Jennings.

– On m'a dit au marché que vous recherchiez un vieil homme.

– Nous cherchons un homme, risqua Jennings.

– Je vous y conduis.

Thorn se leva avec difficulté et plongea ses yeux dans ceux de Jennings.

– Dépêchez-vous! Dépêchez-vous! insista l'Arabe. Il m'a dit de vous amener tout de suite.

Ils partirent à pied et traversèrent en silence de nombreuses ruelles, à la suite du petit Arabe. Il était étonnamment vif pour l'âge qu'il paraissait. Thorn et Jennings avaient beaucoup de mal à marcher à son allure; à un moment, sur la place d'un marché, il se perdit dans la foule. Ils ne l'aperçurent qu'un peu plus tard, juché sur un mur, juste de l'autre côté de l'endroit où il se trouvaient. Très amusé de constater leur fatigue, il s'ingénia à les devancer de vingt mètres, filant rapidement dans de minuscules ruelles, se glissant sous les passages voûtés, souriant comme un chat, quand, hors d'haleine, Thorn et Jennings le rattrapèrent enfin. Apparemment, ils étaient arrivés au but, mais devant eux se dressait un mur de briques; ils se regardèrent, pensant qu'ils avaient été joués.

– En bas! dit l'Arabe en soulevant une grille rivée au sol d'un seul côté, et en leur faisant signe de descendre.

– Qu'est-ce que c'est que ça, nom d'un chien? demanda Jennings.

– Vite! Vite! répondit l'Arabe en souriant.

Thorn et Jennings échangèrent un regard plein d'appréhension, puis ils obéirent; l'Arabe rabaissa la grille derrière eux. Il faisait noir et, après avoir allumé une lampe électrique, le petit homme se dépêcha de les précéder. Autant qu'ils pouvaient en juger à la lumière de ce pauvre éclairage, ils descendaient des marches en pierre, très rudimentaires et fort glissantes. L'humidité les avait recouvertes d'une mousse brunâtre qui empestait et rendait chaque mouvement extrêmement périlleux. Ils chancelaient à chaque pas. Ils ne furent rassurés qu'arrivés au bas de l'escalier. Mais à leur grande surprise, l'Arabe se mit alors à courir. Ils essayèrent d'en faire autant mais leurs pieds glissaient sur la pierre lisse. Le petit homme filait et sa lampe électrique ressemblait à un ver luisant dans le lointain. L'obscurité était pour ainsi dire totale dans ce tunnel étroit, sans aération, dont ils touchaient presque les murs avec les épaules. Cela ressemblait à un énorme égout, ou à un conduit d'irrigation. Jennings comprit qu'ils se trouvaient probablement dans le réseau des anciennes carrières dont lui avait parlé un archéologue, là-bas dans le désert, à l'emplacement des fouilles. Courbés sous les pierres et plongés dans les ténèbres, ils avançaient à tâtons, précédés et suivis par le bruit de leurs pas que se renvoyaient les murs. Maintenant, la lueur de la lampe avait totalement disparu; ils ralentirent encore leur allure, comprenant qu'ils étaient seuls. Bien qu'ils ne puissent se voir chacun sentait la présence de l'autre, grâce à leur souffle.

– Jennings?

– Je suis là.

– Je ne vois rien.

– Ce salaud...

– Attendez-moi...

– Je ne peux pas faire autrement, répliqua Jennings, nous sommes devant un mur.

Thorn étendit les bras et toucha Jennings, puis le mur. Ils se trouvaient dans une impasse; l'Arabe avait disparu.

– En tout cas, il ne nous a pas croisés dans l'autre sens, affirma Jennings. J'en suis sûr.

Il gratta une allumette qui éclaira le lieu où ils étaient enfermés. On aurait dit une tombe : le plafond de pierre semblait prêt à s'affaisser sur eux, avec des lézardes énormes, suintantes d'humidité et grouillantes de cafards.

– Serait-ce un égout? demanda Thorn.

– C'est humide, remarqua Jennings, pourquoi diable est-ce humide?

L'allumette s'éteignit et ils restèrent dans le noir.

– Nous sommes au beau milieu du désert, d'où diable cette eau peut-elle venir?

– Il y a peut-être une source souterraine...

– Ou des réservoirs. Ça ne m'étonnerait pas que nous approchions de la carrière souterraine. Ils ont trouvé des coquillages non loin d'ici dans le désert. C'est possible qu'une poche d'eau se soit remplie quand la terre s'est effondrée.

Respirant toujours avec peine, Thorn se tut.

– Partons! dit-il en haletant.

– Au travers du mur?

– Retournons. Sortons d'ici.

Ils commencèrent à rebrousser chemin, s'appuyant des mains aux murailles humides. Ils progressaient lentement. Dans une telle obscurité, chaque centimètre gagné leur paraissait un kilomètre. Tout à coup, la main de Jennings rencontra un espace vide.

– Thorn?

Il prit Thorn par le bras et l'attira derrière lui. Ils étaient à l'ouverture d'une autre galerie, perpendiculaire à la leur. Ils avaient dû passer sans la remarquer.

– Il y a de la lumière là-bas au bout, chuchota Thorn.

– Sans doute notre petit Gandhi!

Ils s'engagèrent lentement dans la galerie, avançant à tâtons. Il ne s'agissait pas d'un embranchement d'égout, mais d'un souterrain; des blocs de pierre ralentissaient la progression. Par endroits, la surface irrégulière des murs offrait des arêtes vives et tranchantes. Assurant chacun de leurs pas, ils marchaient lentement. Néanmoins, ils distinguèrent peu à peu ce qui se trouvait au bout de cette sinistre galerie : au lieu de l'unique lampe qu'ils avaient entrevue, il y avait une salle tout illuminée. Et dans cette pièce aux contours imprécis se tenaient deux hommes qui les observaient et attendaient tranquillement leur venue : l'un était le mendiant arabe, la main négligemment posée sur la lampe électrique, éteinte maintenant; l'autre d'un certain âge vêtu d'un short kaki et d'une chemisette à manches courtes, ressemblait aux archéologues qu'ils avaient vus à l'emplacement des fouilles. Il avait les traits tirés et le visage sévère, la sueur lui plaquait la chemise au corps. A côté de lui, ils aperçurent une table en bois couverte de rouleaux de parchemin et de papiers divers.

Thorn et Jennings enjambèrent un dernier éboulis de roches acérées; ils étaient parvenus au seuil de la caverne; là, ils s'arrêtèrent, sidérés, clignant des yeux sous ce flot soudain de lumière. Des douzaines de lanternes éclairaient la salle; sur les murs à la surface raboteuse, se distinguaient encore la trace d'anciennes habitations et le profil d'escaliers taillés à même le roc. Une épaisse couche de boue couvrait le sol; à certains endroits pourtant, l'eau, dégouttant des stalactites, avait mis la pierre à nu et l'on discernait clairement la forme des pavés qui avaient jadis formé la chaussée de cette ancienne rue.

– Deux cents drachmes, dit l'Arabe en tendant la main.

– Pouvez-vous le payer? demanda l'homme en short kaki.

Thorn et Jennings le regardèrent éberlués; l'homme haussa les épaules comme pour s'excuser.

– Etes-vous... (D'un bref signe de tête, l'homme interrompit Jennings.) ...Vous êtes Bugenhagen?

– Oui.

Jennings le dévisagea d'un air soupçonneux.

– Bugenhagen était un exorciste du XVIIe siècle.

– Cela remonte à neuf générations.

– Mais vous...

– Je suis le dernier, répliqua-t-il sèchement, et celui qui a le moins d'importance.

Il contourna la table et s'assit avec difficulté. La lampe posée sur la table soulignait la pâleur de son teint presque translucide; on pouvait voir avec netteté les veines qui sillonnaient ses tempes et son crâne chauve. Son visage tendu reflétait une expression amère, comme s'il lui répugnait d'accomplir la tâche qui lui incombait.

— Où sommes-nous? demanda Thorn.

— Dans la cité de Jezreel, qui fait partie de la ville de Meggido, répondit-il d'un ton neutre, ma forteresse, ma prison. Le berceau de la Chrétienté.

— Votre prison? demanda Thorn.

— Géographiquement parlant, cet endroit est le cœur de la Chrétienté, tant que j'y resterai, rien ne pourra m'arriver.

Il s'arrêta pour juger de l'effet produit par ses paroles sur ses visiteurs. L'appréhension, la suspicion même se lisaient toujours sur leurs visages.

— Pouvez-vous payer mon envoyé, je vous prie? dit-il.

Thorn fouilla dans ses poches et en sortit quelques billets : l'Arabe les saisit et s'engouffra dans le souterrain, les laissant tous trois se dévisager en silence. Thorn et Jennings se mirent à examiner la caverne dont le froid et l'humidité les faisaient frissonner.

— Naguère, les armées romaines ont foulé le sol de cette place de village, dit Bugenhagen. Des vieillards assis sur des bancs de pierre s'y chuchotaient des histoires sur la naissance du Christ. Les histoires qu'ils racontaient furent écrites ici — ici même — écrites avec une minutie extrême et réunies dans des livres auxquels nous avons donné le nom de Bible.

Les yeux de Jennings furent attirés par une grotte sombre située juste derrière eux; Bugenhagen suivit son regard.

— La cité tout entière se trouve ici, poursuivit-il. Elle s'étend du nord au sud sur trente-cinq kilomètres. On peut se déplacer à peu près partout, sauf aux endroits où il y a eu de récents éboulements, causés par les fouilles que l'on fait là-haut. Le temps qu'ils arrivent ici, tout sera effondré. (Il se tut et se plongea dans une triste méditation.) Mais tel est l'homme, n'est-ce pas? reprit-il. Il faut que tout ce qu'on peut voir soit visible d'en haut.

Thorn et Jennings ne disaient mot, occupés à enregistrer ce qu'ils voyaient et entendaient.

– Le petit prêtre est-il déjà mort? demanda Bugenhagen.

Sursautant au souvenir de Brennan, Thorn se tourna vers le vieillard.

– Oui, répondit-il.

– Alors, asseyez-vous, Mr Thorn, il faut que nous travaillions.

Hésitant, Thorn demeura debout. Les yeux de Bugenhagen se posèrent sur Jennings.

– Excusez-moi, mais ceci regarde Mr Thorn seulement.

– Je suis avec lui dans cette affaire.

– J'ai bien peur que non.

– C'est moi qui l'ai amené ici.

– Je suis persuadé qu'il vous en est reconnaissant.

– Thorn?

– Faites ce qu'il vous dit, répliqua Thorn.

Jennings se raidit sous l'affront.

– Où diable dois-je aller?

– Prenez une de ces lampes, ordonna Bugenhagen.

A contrecœur, Jennings saisit une lampe posée sur une saillie du mur et s'enfonça dans les ténèbres.

Un lourd silence se fit. Le vieillard se leva et attendit que le bruit des pas de Jennings ait totalement décru avant de demander :

– Avez-vous confiance en lui?

– Oui.

– Ne faites confiance à personne.

Se détournant, il fouilla dans une niche taillée à même la pierre et il sortit un paquet enveloppé de chiffons.

— Dois-je vous faire confiance? demanda Thorn.

Pour toute réponse, l'homme se dirigea vers la table et ouvrit le paquet : il contenait sept stylets dont les lames effilées brillèrent à la lumière de la lampe. Les poignées des dagues, en ivoire sculpté, représentaient le Christ en croix.

— Ayez confiance en eux. Eux seuls peuvent vous sauver, dit-il.

Dans les galeries, Jennings avançait, courbé en deux, craignant à tout instant de se heurter aux pierres qui saillaient du plafond bas. Ce qu'il découvrait dans le rond de lumière projeté par sa lampe l'emplissait de frayeur : vieux objets encastrés dans les murs épais, ossements à demi enfouis dans les pierres qui avaient dû former jadis les caniveaux et la chaussée de l'ancienne rue. Il avançait toujours, comme attiré vers le fond de ce tunnel qui se rétrécissait progressivement.

Dans la caverne, loin derrière lui, l'éclat des lampes s'était affaibli. Thorn regardait avec des yeux angoissés les sept stylets qui dessinaient une croix sur la table.

— Tout doit être accompli en Terre sainte, murmura le vieillard. Dans l'enceinte d'une église. Son sang doit être répandu sur l'autel de Dieu.

Il parlait lentement, ponctuant chaque mot d'un silence, pour s'assurer que Thorn comprenait bien.

— Chaque poignard doit être enfoncé jusqu'à la garde, jusqu'aux pieds du Christ sculpté sur chaque manche... planté ainsi de façon à former une croix.

Le vieil homme étendit une main noueuse et arracha avec difficulté le stylet du centre :

— La première dague est la plus importante : elle détruit la vie physique et forme le centre de la croix. Les autres détruisent la vie spirituelle; elles doivent former des rayons, vers l'extérieur, comme ceci.

Il observa Thorn.

– Vous ne devez avoir aucune pitié, conseilla-t-il. Ce n'est pas un enfant humain.

Thorn fit un effort pour parler. Quand il y arriva enfin, sa voix n'était plus la même : rauque et entrecoupée, elle trahissait l'émotion qui le bouleversait.

– Et si... vous vous trompez? S'il n'est pas...?

– Je ne me trompe pas.

– Prouvez-le-moi.

– Il a une tache de naissance. Trois 6.

La respiration de Thorn se fit plus saccadée :

– Non! s'exclama-t-il.

– C'est ce que dit la Bible. Tous les apôtres de Satan en ont une.

– Il ne l'a pas.

– Psaume XIII, verset 18 : « Les gens avisés calculent le nombre de la Bête. Car c'est un nombre d'homme et ce nombre est Six Cent Soixante-Six ».

– Il ne l'a pas, je vous dis!

– Il doit l'avoir.

– Je l'ai vu dans son bain, je connais chaque centimètre de son corps.

– Si la marque ne se voit pas sur son corps, vous la trouverez sous les cheveux. N'avait-il pas beaucoup de cheveux à la naissance?

Thorn revit en pensée l'instant où il avait aperçu l'enfant pour la première fois et il se rappela combien il avait été frappé par sa masse de cheveux superbes.

– Rasez-lui les cheveux, conseilla Bugenhagen. Alors vous verrez la tache.

Thorn ferma les yeux et enfouit sa tête dans ses mains.

– Une fois que vous aurez commencé, n'hésitez pas.

Thorn secoua la tête, incapable de se faire à cette idée.

— Vous ne croyez pas ce que je vous dis? demanda Bugenhagen.

— Je ne sais pas, soupira Thorn.

S'appuyant au dossier de sa chaise, le vieillard observa son visiteur.

— Votre fils a été tué comme on l'avait prédit. Votre femme est morte...

— Mais c'est un enfant!

— Vous faut-il encore des preuves?

— Oui.

— Alors, attendez. Il faut que vous soyez persuadé que vous agissez pour le bien, sinon vous échouerez. Si vous êtes indécis, ils vous vaincront.

— Ils?

— Vous m'avez bien dit qu'il y avait une femme? Une femme qui s'occupe de votre enfant?

— Mrs Baylock...

Le vieil homme hocha la tête en signe d'assentiment.

— Elle s'appelle B'aalock. Elle est toute dévouée au Diable et préférera mourir plutôt que de vous laisser faire.

Ils se turent; des bruits de pas se firent entendre dans le souterrain et Jennings rentra, l'air stupéfait.

— ... Des milliers de squelettes... murmura-t-il.

— Sept mille, précisa Bugenhagen.

— Qu'est-il arrivé?

— Meggido était Armageddon. La fin du monde.

Jennings fit quelques pas, encore tout tremblant de ce qu'il avait vu :

— Vous voulez dire que « Armageddon » a déjà eu lieu?

— Oh oui! répliqua Bugenhagen, et il aura lieu de nombreuses fois encore.

Il arracha les stylets fichés dans la table, les enveloppa soigneusement et tendit le paquet à Thorn. Ce dernier voulut refuser mais Bugenhagen le força à le prendre. Ils ne se quittèrent pas des yeux jusqu'à ce que Thorn soit debout.

– J'ai vécu longtemps, dit le vieillard d'une voix tremblante. J'espère que je n'ai pas vécu en vain.

Thorn se détourna, rattrapa Jennings, lui emboîta le pas, et tous deux s'engouffrèrent dans les ténèbres d'où ils étaient venus. Ils marchèrent un moment en silence, puis Thorn se retourna pour jeter un dernier regard à la caverne. Les lampes avaient été éteintes et tout avait disparu dans l'obscurité.

Ils marchaient en silence dans les rues de Jérusalem. Thorn allait comme un automate, perdu dans ses sombres pensées et serrant son paquet très fort sous le bras. Jennings avait tenté de le questionner, mais il n'avait même pas pris la peine de répondre. L'un derrière l'autre, ils longeaient un chantier. Le photographe, dont l'exaspération grandissait, avait du mal à suivre Thorn et cria pour dominer le bruit des marteaux-piqueurs :

– Ecoutez! La seule chose que je veux savoir, c'est ce qu'il a dit. J'ai le droit de savoir, non?

Mais Thorn avançait obstinément, hâtant même le pas comme s'il essayait de le distancer.

– Thorn! Je veux savoir ce qu'il a dit!

Jennings descendit sur la chaussée et attrapa Thorn par le bras :

– Dites donc, je ne suis pas juste un spectateur, c'est moi qui l'ai découvert!

Thorn s'arrêta et jeta un regard furibond à Jennings :

– Oui. C'est vous, n'est-ce pas? C'est vous qui avez découvert tout cela.

– Que voulez-vous dire?

– C'est vous qui avez déclenché tout cela. C'est vous qui m'avez fourré toute cette histoire dans la tête...

– Ecoutez...
– C'est vous qui avez pris ces photos...
– Attendez...
– C'est vous qui m'avez amené ici...
– Qu'est-ce qui vous prend?
– Je ne sais même pas qui vous êtes!

Il se dégagea de la poigne de Jennings et se détourna; mais Jennings lui saisit à nouveau le bras :

– Vous allez vous taire deux minutes et écouter ce que j'ai à vous dire.
– J'en ai suffisamment entendu.
– J'essaye de vous aider.
– Ça suffit!

Ils se regardèrent dans le blanc des yeux; Thorn tremblait de rage.

– Quand je pense que j'ai écouté tout ça! Que j'ai cru tout ça!
– Thorn...
– Je n'ai vu qu'une espèce de vieux fakir qui collectionne les couteaux!
– Qu'est-ce que vous racontez?

De ses mains tremblantes, Thorn brandit le paquet :

– Ce sont des couteaux! Des armes! Il veut que je le poignarde. Il veut que je tue cet enfant!
– Ce n'est pas un enfant!
– C'est un enfant!
– Pour l'amour du Ciel, quelle preuve voulez...
– Pour qui me prenez-vous?
– Calmez-vous.
– Non! hurla Thorn. Je ne le ferai pas. Je ne veux pas tremper là-dedans! Assassiner un enfant! Mais pour qui me prend-on?

Dans un accès de rage, il pivota sur lui-même et lança loin derrière lui le paquet de poignards qui heurta un mur et alla rebondir dans une ruelle. Jennings, sidéré, regarda Thorn durement.

— Si vous ne voulez pas le faire, grommela-t-il, moi je le ferai!

Il s'apprêtait à partir quand Thorn l'arrêta :

— Jennings?

— Monsieur?

— Je ne veux plus jamais vous voir. Je me désintéresse complètement de toute cette histoire.

Ulcéré, Jennings courut ramasser le paquet dans la ruelle à côté du chantier. Le sol était couvert de gravats, l'air résonnait du bruit des marteaux-piqueurs et des bulldozers. Jennings, écartant du pied les gravats, finit par apercevoir le petit paquet près d'une poubelle, un peu plus loin. Il se précipita dans cette direction et se baissa pour le ramasser. Dans sa hâte, il n'eut pas le temps de voir le bras d'une énorme grue qui tourna au-dessus de lui, s'arrêta un instant, et laissa tomber une immense vitre. La plaque de verre fendit l'air avec la précision d'une guillotine et s'abattit sur le cou de Jennings, séparant impeccablement la tête du corps avant d'exploser en mille morceaux.

Thorn entendit le bruit du choc, puis les hurlements des passants qui se précipitaient dans la ruelle où avait disparu Jennings. Il les suivit et fendit la foule pour arriver sur le lieu du drame : du cadavre décapité, s'écoulait un flot de sang qui jaillissait par saccades, comme si le cœur battait encore.

D'une fenêtre qui dominait la scène, une femme poussa un cri d'horreur en montrant du doigt la tête de Jennings, dans la poubelle, les yeux regardant le ciel.

Thorn s'avança à pas lourds et ramassa le paquet qui gisait dans les décombres près de la main inerte de Jennings. Hagard, il quitta la ruelle et regagna son hôtel.

12

L'avion mit huit heures pour atteindre Londres. Thorn, anéanti, se mura dans un profond silence tout le temps que dura le voyage. Il ne ressentait ni angoisse, ni rancune, ni honte, seule subsistait la certitude absolue de ce qu'il fallait accomplir.

A la descente d'avion, une hôtesse lui rendit le paquet qu'elle avait gardé pendant le vol, conformément aux consignes de sécurité. Elle s'extasia sur la beauté des dagues et demanda à Thorn où il les avait achetées. Il lui répondit par monosyllabes, fourra le paquet dans la poche de sa veste et entra dans l'aéroport presque désert. Il était minuit passé et l'avion était le dernier autorisé à se poser à Londres à cause de la mauvaise visibilité. La ville était plongée dans le brouillard et les chauffeurs de taxis refusèrent tous d'aller à Pereford. Thorn était profondément déconcerté de revenir à Londres dans ces conditions, sans personne pour l'accueillir et le ramener chez lui. Il se souvint avec émotion de ses voyages précédents. Horton l'attendait toujours et lui faisait aussitôt quelques commentaires sur le temps; à la maison, Katherine l'accueillait souriante, ravie de le revoir.

Tandis qu'il attendait dans la nuit froide le taxi-radio qu'il avait commandé, une immense solitude déferla sur lui et le glaça jusqu'aux os. La voiture arriva enfin et ils partirent pour Pereford. Le manque de visibilité presque total donnait l'impression que l'on n'avançait pas. Ce phénomène fut un dérivatif pour Thorn et l'empêcha un moment de penser à l'horrible tâche qui l'attendait. Le passé était mort, le futur imprévisible, seul comptait le moment présent.

La maison elle aussi était noyée dans la brume. Le brouillard enveloppa la voiture qui s'arrêta pour déposer Thorn et ses bagages devant le manoir plongé dans l'obscurité. Après le départ de l'auto, Thorn resta quelques instants immobile, à contempler la maison qui avait naguère abrité ceux qu'il aimait. Pas une lampe ne brillait, pas un bruit ne troublait le lourd silence. Le souvenir des temps heureux vint torturer l'esprit de Thorn. Il vit Katherine dans le jardin, jouant avec son fils, et Chessa qui riait en contemplant la scène. Il vit les nombreux invités qui évoluaient sur la pelouse, l'allée où étaient rangées les voitures des plus hautes personnalités du Commonwealth, les chauffeurs qui attendaient.

Rassemblant son courage, il se dirigea vers la porte d'entrée et mit la clef dans la serrure. Il lui sembla alors entendre un bruit de pas, comme si quelqu'un était sorti de la forêt et courait vers lui. La respiration de Thorn se fit plus rapide, il ouvrit la porte, entra et la referma rapidement derrière lui. Il avait l'impression d'être poursuivi, mais quand il regarda dehors à travers le judas, il ne vit que du brouillard. L'angoisse qu'il ressentait n'était que le fruit de son imagination; il devait prendre garde à cela. Après avoir fermé la porte à double tour, il resta un moment dans l'obscurité pour s'accoutumer aux bruits de la maison. Le chauffage marchait, l'air chaud raclait légèrement les conduits et on entendait le tic-tac de la vieille horloge.

Thorn traversa lentement la salle de séjour, passa dans la cuisine et ouvrit la porte qui donnait dans le garage. Les deux voitures étaient rangées côte à côte : le break de Katherine et la Mercedes. Il se dirigea vers la Mercedes, ouvrit la portière et mit la clef de contact. Il restait une dizaine de litres d'essence dans le réservoir, c'était suffisant pour retourner à Londres. Laissant la clef de contact engagée et la portière ouverte, il retourna dans la cuisine et abaissa la manette qui commandait l'ouverture automatique des portes du garage. A peine furent-elles ouvertes que le brouillard entra à l'intérieur en tourbillonnant, et, une fois de plus, Thorn crut entendre un bruit. Il ferma la porte de la cuisine et resta tout contre, à écouter. Il n'y avait rien; son esprit lui jouait des tours.

Après avoir allumé l'électricité, il regarda attentivement autour de lui. Tout était comme d'habitude, parfaitement en ordre. Il y avait même sur le fourneau des flocons d'avoine qui gonflaient lentement au bain-marie en attendant l'heure du petit déjeuner. Thorn en fut ébranlé; tout avait l'air si normal, contrairement à la réalité.

Il se dirigea vers la table, sortit le paquet de sa poche et en étala le contenu. Les sept poignards étaient là, pointus et tranchants comme si on venait de les aiguiser. Il les examina de près : les lames brillantes reflétèrent son visage. Il vit ses yeux, calmes et résolus, mais tout à coup, il se sentit inondé de sueur; une soudaine faiblesse l'envahit, ses jambes flageolèrent. Il fit un effort pour se ressaisir; vite, il referma le paquet et le remit dans sa poche.

Il passa par l'office et monta par un petit escalier de bois en se baissant pour ne pas heurter l'ampoule qui pendait nue à un vieux fil électrique effiloché. Il connaissait cet escalier de service pour l'avoir déjà emprunté une fois au cours d'une partie de cache-cache avec Damien. Il se rappela qu'il s'était promis à l'époque de faire changer ce fil de peur que Damien ne s'électrocutât.

En gravissant péniblement les marches étroites,

Thorn avait l'impression de faire un cauchemar. Il était persuadé qu'il allait se réveiller d'un moment à l'autre à côté de Katherine; il lui raconterait les horribles fantasmes qui avaient peuplé son esprit, elle serait émue et le consolerait en le prenant dans ses bras. Damien arriverait en trottinant dans leur chambre, frais et rose après une bonne nuit de sommeil.

Thorn atteignit le palier du premier étage et entra dans le hall où il faisait nuit noire. Le trouble qui s'était emparé de lui juste avant la mort de Jennings l'envahit de nouveau. Il souhaitait ardemment trouver la chambre de l'enfant vide et espérait de toutes ses forces que la grosse femme avait emmené Damien.

Mais il entendit leur respiration et son cœur battit plus fort. Ils étaient là, tous les deux, endormis. Thorn avait toujours pensé que pendant la nuit, toute la vie de la maison se concentrait dans ce hall; là, se mêlaient les différentes respirations, elles se confondaient dans l'obscurité pour n'en former qu'une. Il s'appuya au mur, écouta un moment, puis se dirigea vers sa propre chambre,

La couverture était disposée comme si on l'attendait. Il s'assit lourdement; ses yeux se posèrent sur la photo de leur mariage qui était sur la table de nuit. Comme ils étaient jeunes et pleins d'espoir! Il s'étendit sur le lit et laissa ses larmes couler. Il ne fit aucun effort pour les retenir. En bas, l'horloge sonna 2 heures. Il se leva, alla dans la salle de bains, alluma et recula d'horreur : la salle de bains de Katherine était dévastée. Les boîtes de poudre étaient répandues, les petits pots de crème étaient en mille morceaux sur le sol, les carreaux de faïence barbouillés de rouge à lèvres, les brosses à cheveux et les bigoudis jetés pêle-mêle dans les toilettes comme si quelqu'un avait voulu s'en débarrasser. Le spectacle tout entier témoignait d'une rage sadique. Incompréhensiblement, c'était une attaque dirigée contre Katherine. Seul un adulte avait pu accomplir un tel méfait : les pots brisés avaient été lancés avec force, les gribouillages avaient été tracés haut et d'une main ferme. C'était l'œuvre d'un fou, un fou ivre de haine. Thorn restait pétrifié; il se regarda dans la glace cassée : le miroir lui renvoya l'image d'un visage durci. Il ouvrit un tiroir mais ne trouva pas ce qu'il cherchait. Il ouvrit alors un placard et fouilla jusqu'à ce qu'il trouve ce dont il avait besoin : un rasoir électrique. Il pressa le bouton de mise en marche : le petit objet ronronna dans sa main. En l'arrêtant, il crut entendre un craquement sur le parquet du second étage. Il se tint immobile, retenant sa respiration jusqu'à ce que le bruit cesse. Il ne se reproduisit pas.

Des gouttes de sueur perlaient sur son visage; il les essuya d'une main tremblante, puis sortit de la salle de bains et se dirigea vers le hall. Le parquet grinçait sous ses pas. La chambre de l'enfant était à côté de celle de Mrs Baylock; Thorn s'arrêta un instant devant la porte légèrement entrouverte de la chambre de la gouvernante. Il aperçut la femme : elle dormait sur le dos, un bras pendant et la main effleurant le sol de ses ongles écarlates. Ce soir encore, elle s'était maquillée avec outrance; cette fois-ci, en plus de la poudre et du rouge à lèvres, elle avait du fard sur les joues. Elle dormait; son énorme poitrine s'élevait et s'abaissait au rythme de ses ronflements sonores.

D'une main tremblante, Thorn referma la porte sans bruit, puis, rassemblant son courage, il se dirigea à pas feutrés vers la chambre de Damien. Là aussi, la porte était entrebâillée. Thorn pénétra dans la pièce, referma la porte derrière lui et s'y adossa un moment. Il regarda son fils. L'enfant dormait, le visage innocent et paisible. Thorn détourna les yeux. Il serra les dents, prit une profonde inspiration et s'avança, le rasoir dans la main. Debout à côté du lit, il le mit en marche. Le ronronnement de l'appareil résonna dans le silence de la pièce mais ne réveilla pas l'enfant. Thorn se pencha vers lui et sentit son bras trembler quand le rasoir effleura la tête du petit garçon. Une touffe de cheveux tomba et Thorn eut un sursaut d'horreur en constatant combien cela défigurait l'enfant. La peau blanche du cuir chevelu ressemblait à une cicatrice au milieu de l'épaisse chevelure noire. Thorn appliqua de nouveau le rasoir sur le crâne de Damien : les cheveux tombèrent sur l'oreiller. L'enfant grogna un peu et commença à bouger. Le cœur battant, Thorn continua méthodiquement; l'enfant entrouvrit les yeux. Il se réveillait maintenant et, encore engourdi de sommeil, il tenta de lever la tête; Thorn, pris de panique, lui enfonça le visage dans l'oreiller. L'enfant, terrifié, se débattit; mais Thorn le maintint fermement. Il était écœuré par son horrible besogne et dut faire un effort pour ne pas s'arrêter. Damien se tordait en tous sens pour échapper au rasoir; ses cris, étouffés par l'oreiller, étaient de plus en plus désespérés. Le cuir chevelu était presque complètement dénudé; le petit garçon, suffoquant, se tortillait comme un ver. Enfin, Thorn faucha la dernière touffe de cheveux qui restait au bas du crâne. *La tache de naissance était là!* La peau, entamée par le rasoir, saignait un peu, mais la marque se détachait nettement sur la peau blanche : trois 6 disposés en trèfle. Thorn recula et l'enfant bondit sur ses pieds, en larmes, à demi asphyxié; il jeta à son père un regard de reproche. Il passa ses petites mains sur son crâne tondu, puis, apercevant le sang qui maculait ses doigts, il poussa un cri d'effroi. Il tendit les bras vers son père en pleurant. Thorn était glacé par l'épouvante qu'il lisait dans les yeux de l'enfant, mais il se sentait néanmoins incapable de le consoler, et il éclata en sanglots devant les petites mains rougies qui imploraient son aide.

– Damien..., dit-il, la voix enrouée de larmes.

Mais soudain, la porte s'ouvrit derrière lui; il se retourna et vit la silhouette monstrueuse de Mrs Baylock qui se précipitait vers le lit en hurlant. Avant que Thorn puisse faire un geste, elle bondit sur lui, l'attrapa aux épaules et le plaqua au sol. Damien, poussant des cris de terreur, dégringola du lit. Thorn et la mégère s'empoignèrent. Elle lui enfonçait les doigts dans les yeux et essayait de l'étrangler. Il la frappa, mais elle était plus forte que lui. Elle ne lâchait pas prise, ses énormes mains agrippées à la gorge de l'homme. Thorn commençait à étouffer. Avec l'énergie du désespoir, il essaya de la repousser, mais elle lui mordit furieusement les mains. Dans leur lutte sans merci, ils firent tomber une lampe de chevet, Thorn s'en empara et tenta d'assommer Mrs Baylock. La lampe se brisa en mille morceaux et le choc étourdit la femme qui perdit l'équilibre.

Thorn, serrant de toutes ses forces le pied de la lampe, frappa encore la mégère; il sentit le crâne s'enfoncer. Un filet de sang dégoulina le long de la joue blême. Mais la furie tenait toujours bon. Thorn frappa une troisième fois. La femme bascula enfin sur le parquet. Il se mit debout avec peine, recula en chancelant jusqu'au mur où se trouvait l'enfant épouvanté. Thorn le prit dans ses bras, quitta la chambre en titubant et s'engagea dans le petit escalier de service. Damien donna des coups de pied dans la porte mais Thorn l'immobilisa brutalement. L'enfant se mit à lui griffer le visage, et il faillit tomber. Au passage, Damien saisit l'ampoule qui pendait au bout du fil abîmé; Thorn voulut l'en empêcher, mais ils reçurent tous deux une décharge électrique qui les envoya bouler au bas des marches. Thorn, tout étourdi, se mit à quatre pattes et essaya de retrouver ses esprits. Voyant l'enfant évanoui à côté de lui, il tenta de le soulever mais sans succès, et tomba à la renverse, pris de vertige; il se retourna en entendant s'ouvrir la porte de la cuisine. Mrs Baylock avançait en chancelant vers lui, la tête ensanglantée. Il s'efforça de se relever, mais elle l'attrapa par le bas de sa veste. Il résista de toutes ses forces et s'accrocha aux tiroirs qui se renversèrent sur le sol. Ils roulèrent à terre et de nouveau elle lui serra la gorge avec une haine féroce. Le sang mélangé à la poudre lui faisait un visage rose. Elle grognait de fureur et, dans l'effort qu'elle faisait pour étrangler Thorn, elle ouvrait grand la bouche et montrait ses dents, tachées de sang elles aussi. Thorn ne pouvait plus bouger; il étouffait et plongeait son regard affolé dans les yeux fous de la mégère. Elle approcha son visage du sien et pressa violemment ses lèvres barbouillées sur celles de sa victime. Autour d'eux, les ustensiles de cuisine jonchaient le sol, et Thorn, tendant désespérément les mains pour trouver quelque chose, finit par atteindre deux fourchettes. Il en prit une dans chaque main et, les serrant de toutes ses forces, d'un mouvement brusque, les lui planta profondément dans chaque tempe. La femme hurla et s'écroula. Thorn se releva péniblement, tandis que la harpie qui était parvenue, elle aussi, à se remettre debout, chancelait à travers la pièce en essayant vainement de retirer les fourchettes de son crâne. Dans l'office, Thorn saisit l'enfant encore évanoui et, d'un pas mal assuré, se dirigea vers le garage. Il tituba jusqu'à la portière ouverte de la voiture. Un grognement soudain s'éleva tout près de lui; une énorme boule de fourrure noire se précipita et lui heurta violemment l'épaule, le faisant basculer dans la Mercedes. C'était le chien; il lui avait planté ses crocs dans le bras et tentait de le tirer hors de l'auto. Dans sa chute, Thorn avait jeté l'enfant sur le siège avant; de sa main libre, il saisit la poignée intérieure et claqua plusieurs fois la portière sur le museau du chien. Dans un hurlement de douleur, l'animal lâcha prise et la portière se referma.

Tandis que Thorn tâtonnait pour trouver la clef de contact, le chien fou furieux sauta sur le capot et se jeta contre le pare-brise avec une telle force qu'il l'ébranla. Thorn parvint enfin à saisir la clef, mais elle lui échappa. Pendant qu'il la cherchait à tâtons sur le tapis de la voiture, l'enfant commença à geindre. Le chien continuait à se jeter contre la vitre et il était évident qu'elle allait céder d'un moment à l'autre. Thorn retrouva enfin la clef et mit le contact; mais quelle ne fut pas sa stupeur quand il vit la femme, toujours vivante, sortir en titubant de la cuisine, et rassembler ses dernières forces pour courir vers la voiture en brandissant un énorme marteau.

Thorn débraya, mais au moment où il allait passer en marche arrière, le marteau s'abattit sur le pare-brise qu'il brisa. Immédiatement, le chien passa la tête par l'ouverture et les crocs claquèrent tout près du visage de Thorn. Il parvint à glisser une main dans la poche de sa veste et saisit une des dagues. Il la sortit, la brandit et d'un geste rapide et précis, la ficha juste entre les yeux rapprochés de la bête. L'arme s'enfonça jusqu'à la garde. De la gueule béante du molosse fusa un cri de douleur qui ressemblait plus à celui d'un léopard qu'à celui d'un chien. Le monstre se tordit, glissa à terre, tentant d'arracher le stylet meurtrier à l'aide de ses pattes de devant. Thorn passa brutalement en marche arrière et la voiture recula d'un bond.

Mrs Baylock, le visage en bouillie, s'agrippa à la portière, et se mit à frapper sauvagement la vitre.

– Mon bébé... sanglota-t-elle, mon bébé...

La voiture sortit à toute allure du garage; la femme courait au milieu de l'allée, étendant les bras pour l'empêcher de passer. La Mercedes hésita, puis, dans un crissement de pneus qui fit voler les graviers, fonça droit sur la gouvernante. Serrant les dents, Thorn appuya à fond sur l'accélérateur. Les phares éclairèrent une fraction de seconde le visage horrible de la femme, puis le choc brutal la projeta en l'air, et la voiture poursuivit sa course. Parvenu au bout de l'allée, Thorn s'arrêta un instant pour jeter un dernier regard au manoir; dans son rétroviseur, il vit le corps de Mrs Baylock, monstrueux amas de chair gisant sur les cailloux et, sur la pelouse, le chien étendu, encore agité de soubresauts.

Il redémarra et s'engagea sur la route, heurtant un mur de pierre en prenant trop sèchement son virage. A côté de lui, l'enfant était toujours évanoui. Parvenu sur la grand-route, Thorn, accélérateur au plancher, fonça vers Londres. On distinguait les premières lueurs de l'aube et le brouillard se dissipait lentement. La Mercedes filait.

L'enfant revenait peu à peu à lui; il commença à s'agiter et se mit à geindre. Thorn, fixant la route, ne lui prêtait pas attention.

– Ce n'est pas un enfant humain! Ce n'est pas un enfant humain! se répétait-il les dents serrées.

Il conduisait toujours plus vite; l'enfant continuait à gémir mais ne reprenait pas conscience.

Thorn amorça trop vite le virage de la W10; il perdit un instant le contrôle de la voiture qui frôla la glissière de sécurité. Le brusque coup de volant qu'il donna pour redresser le véhicule projeta Damien par terre.

Ils se dirigeaient maintenant vers l'église de la Toussaint. Thorn distinguait au loin les immenses flèches, et l'enfant, qui avait été réveillé par l'embardée, le regardait de ses grands yeux innocents.

– Ne me regarde pas, marmonna Thorn.

– J'ai mal... gémit l'enfant.

– Ne me regarde pas!

L'enfant obéit et baissa les yeux. Ils fonçaient à toute allure vers l'église et les pneus hurlèrent dans un virage; quand Thorn, un instant plus tard, regarda le ciel, il constata qu'il était soudainement dans un ciel zébré d'éclairs.

– Papa... pleurnicha Damien.

– Tais-toi!

– Je suis malade.

Et il se mit à vomir. Les nuages crevèrent soudain et la pluie s'abattit, torrentielle; le vent souleva un tourbillon de détritus et les plaqua contre le pare-brise. La Mercedes s'arrêta devant l'égise; Thorn ouvrit violemment la portière, saisit Damien par le col de son pyjama et tenta de l'attirer à lui; mais l'enfant se mit à hurler et donna des coups de pied dans la poitrine de Thorn qui, plongeant le bras dans la voiture, attrapa Damien par un pied et le tira dehors. Mais Damien lui échappa et se mit à courir. Thorn se lança à sa poursuite, l'empoigna et le fit tomber durement sur le sol. Un roulement de tonnerre gronda, la foudre tomba juste à côté de la voiture, Damien se débattit et, une fois de plus, échappa à Thorn. D'un mouvement vif, Thorn attrapa au vol le petit garçon, l'attira à lui et le saisit à bras-le-corps; portant Damien qui hurlait et donnait des coups de pied dans le vide, il se dirigea vers l'église.

De l'autre côté de la rue, une fenêtre s'ouvrit et un homme invectiva Thorn. Mais celui-ci poursuivit sa route sous la pluie battante; le visage décomposé, il s'efforçait de gagner le parvis de l'église. Une tornade s'éleva, l'empêchant d'avancer. Thorn, plié en deux, tentait de gagner du terrain, centimètre par centimètre. Brusquement, l'enfant se tordit dans ses bras et lui mordit le cou. Au milieu des roulements de tonnerre, la sirène d'un car de police retentit. L'homme, du haut de sa fenêtre, continuait à hurler, ordonnant à Thorn de lâcher l'enfant. Mais Thorn n'entendait rien, il avançait toujours vers les escaliers, malgré les rugissements du vent et les ongles de l'enfant qui lui lacéraient le visage. Damien lui enfonça un doigt dans l'œil et il tomba à genoux. Se cramponnant à l'enfant qui se débattait de plus belle, il le tira jusqu'en bas des marches. La foudre tomba à nouveau et fit voler en éclats des morceaux d'asphalte tout près d'eux. Thorn rassembla toute son énergie pour traîner l'enfant en haut de l'escalier; mais il n'y arrivait pas : ses forces déclinaient à mesure que celles de son fils augmentaient. Le visage labouré par les ongles de Damien, le ventre martelé par ses genoux, Thorn haletait et rassemblait toute son énergie pour atteindre son but. Déployant une force surhumaine, il plaqua l'enfant au sol, puis fouilla dans sa poche pour prendre le paquet de dagues. Poussant un cri affreux, Damien donna un coup de pied dans la main de Thorn et les stylets s'éparpillèrent. Thorn, tenant toujours Damien, parvint à en saisir un. Le hurlement de la sirène déchira l'air. Thorn brandit le stylet au-dessus de la tête de Damien qui hurla de nouveau.

— Arrêtez! ordonna une voix dans la rue.

Les silhouettes de deux policiers apparurent sous la pluie battante. Ils étaient sortis du car en courant et l'un d'eux tenait un revolver. Thorn leva les yeux vers les policiers, puis les tourna vers l'enfant et avec rage, il abattit le stylet. Le cri de Damien et le bruit de la détonation furent simultanés.

Pendant quelques instants, ils restèrent tous pétrifiés : les policiers debout, Thorn assis sur les marches, le corps de l'enfant étendu près de lui. Les portes de l'église s'ouvrirent toutes grandes et un prêtre regarda la scène tandis qu'il pleuvait toujours.

13

La nouvelle se répandit rapidement dans Londres, puis elle atteignit bientôt le monde entier. Pendant quarante-huit heures, les reporters s'entassèrent dans la salle d'attente de l'hôpital de la Cité et questionnèrent les médecins pour savoir ce qui s'était passé. Le matin du deuxième jour, des représentants de l'hôpital entrèrent dans la pièce et attendirent que les caméras de la télévision se mettent à ronronner avant de faire leur rapport. Ce fut un chirurgien sud-africain, venu spécialement du Groote Schuur Hospital du Cap pour l'opération, qui fit le communiqué final.

– Je vous annonce... que la mort est survenue à 8h30 ce matin. Nous avons tenté tout ce qui était humainement possible, mais la blessure était telle qu'elle avait causé des lésions irréversibles.

Un murmure de tristesse parcourut l'assemblée, et le médecin attendit que les reporters se soient tus pour poursuivre :

– Il n'y aura pas d'autre communiqué. Les obsèques auront lieu à l'église de la Toussaint où s'est déroulé le tragique accident... puis la dépouille mortelle partira pour les Etats-Unis où elle sera inhumée.

A New York, une file de limousines attendaient à l'aéroport J.F Kennedy. Les deux cercueils furent conduits au cimetière dans le même corbillard, précédé par deux motards. Une foule énorme s'était massée le long de la route. Des agents de la sécurité durent retenir les curieux quand la procession funèbre s'avança vers les tombes ouvertes. Un prêtre en chasuble blanche se tenait au pied d'un drapeau américain. On passa des courroies sous les cercueils; une marche funèbre retentit; un homme vérifia les lanières de cuir; les cercueils furent descendus dans la tombe et le prêtre commença son éloge funèbre :

– Nous déplorons aujourd'hui la mort de nos frères, déclama-t-il. Deux des nôtres ont emporté dans l'Éternité un peu de notre cœur. Ne pleurons pas sur eux, qui goûtent maintenant le repos éternel, mais sur nous à qui manquera cruellement leur présence. Leur vie sur terre fut courte, mais nous devons remercier le Ciel d'avoir pu profiter de leur passage parmi nous.

La foule était silencieuse; certains pleuraient.

– Disons adieu au fils d'un grand homme... qui eut sur terre la richesse, le pouvoir... et tous les biens de ce monde qu'un homme puisse souhaiter. Mais que cet exemple nous montre la vanité des choses d'ici-bas.

De l'autre côté des grilles du cimetière, des reporters prenaient des photos au téléobjectif. Certains d'entre eux se tenaient légèrement à l'écart et discutaient des événements qui les avaient amenés là.

– Plutôt bizarre, hein?

– Qu'est-ce qui est bizarre? Ce n'est pas la première fois que des gens se font assassiner dans la rue.

– Et que dis-tu du gars qui les a vus se battre sur les escaliers? Le type qui a appelé la police?

– Il était ivre, on lui a fait une prise de sang; ils ont trouvé de l'alcool.

– Quand même, dit un troisième, c'est étrange. Que faisaient-ils à l'église à cette heure-là?

– Sa femme venait de mourir, peut-être allaient-ils prier.

– Qu'est-ce que ces cinglés qui assassinent les gens sur les marches d'une église?

– Le monde en est plein, crois-moi.

– Je ne sais pas, reprit le premier, j'ai l'impression qu'on nous a caché quelque chose.

– Ce ne serait pas la première fois.

– Ni la dernière...

Dans le cimetière, le prêtre tendait les bras vers le ciel. Parmi l'assemblée, un couple se tenait un peu à l'écart, entouré de policiers en civil qui surveillaient l'assistance. Lui, très digne, inspirait le respect; elle, voilée de noir, tenait par la main un petit garçon de quatre ans qui avait le bras en écharpe.

– Tandis que nous conduisons Robert et Katherine Thorn à leur dernière demeure, psalmodia le prêtre, tournons les yeux vers leur fils Damien, seul survivant de cette belle famille, qui va désormais prendre place dans un nouveau foyer. Puisse-t-il y grandir dans l'amour. Puisse-t-il se montrer digne de son père et devenir un grand meneur d'hommes.

Damien regarda les deux cercueils et serra très fort la main de la femme qui se tenait près de lui.

– Enfin, poursuivit le prêtre les mains levées vers le ciel, que Dieu t'accorde, à toi, Damien Thorn, Sa Bénédiction et Sa Grâce... Que le Christ t'accorde Son Amour Eternel!

Un lointain roulement de tonnerre gronda et la foule commença à se disperser. L'homme et la femme entourés de policiers attendirent que tout le monde soit parti, puis ils s'approchèrent des tombes pour prier et l'enfant s'agenouilla devant eux. Parmi ceux qui se retournèrent pour les regarder, beaucoup pleuraient à chaudes larmes. L'enfant se leva enfin, puis, accompagné de ses nouveaux parents, s'en alla lentement. Les gardes du corps, formant cercle autour d'eux, les escortèrent jusqu'à la voiture présidentielle.

Quatre motards encadraient la limousine qui passa devant les journalistes. Tous profitèrent de l'instant où l'enfant les regarda par la vitre arrière, pour prendre des photos. Curieusement, tous les clichés devaient être gâchés par une tache, un défaut de la pellicule, formant une espèce de brume qui flottait au-dessus de la voiture.

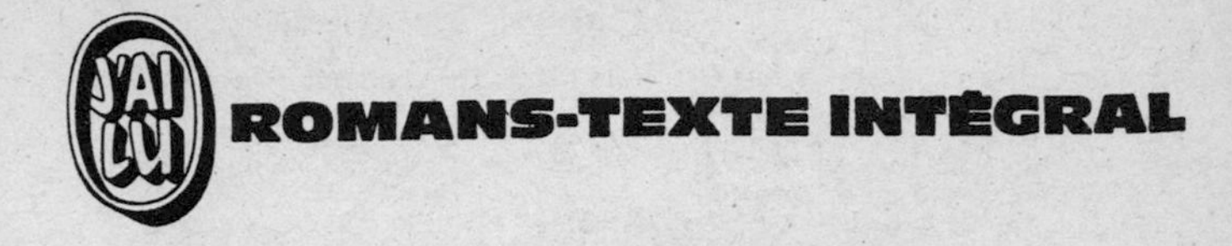

ROMANS-TEXTE INTÉGRAL

ALLEY Robert
517* Le dernier tango à Paris

APOLLINAIRE Guillaume
704* Les onze mille verges

ARNOTHY Christine
343** Le jardin noir
511*** Un type merveilleux

ARSAN Emmanuelle
770**** Laure

ASHE Penelope
462** L'étrangère est arrivée nue

AURIOL Jacqueline
485** Vivre et voler

BARCLAY Florence L.
287** Le Rosaire

BARNARD Christiaan
729**** Les hommes ne meurent jamais

BAUM Vicki
566** Berlin Hôtel
716**** Ballerina
771** Solitude (Ulle)

BENCHLEY Peter
833*** Dans les grands fonds (juin 1978)

BENZONI Juliette
601*** Marianne, une étoile pour Napoléon - 1
602*** Marianne, une étoile pour Napoléon - 2
603**** Marianne, et l'inconnu de Toscane
604**** Marianne, Jason des quatre mers
605**** Toi, Marianne
606*** Marianne, les lauriers de flammes - 1
607*** Marianne, les lauriers de flammes - 2
730**** Les reines tragiques
798**** Le sang, la gloire et l'amour

BIBESCO Princesse
77* Katia
502** Catherine-Paris

BLATTY William Peter
630**** L'exorciste

BLIER Bertrand
543*** Les valseuses

BORY Jean-Louis
81*** Mon village à l'heure allemande

BRESSY Nicole
374* Sauvagine
706* L'éclaircie

BUCK Pearl
29*** Fils de dragon
127*** Promesse
570**** La vie n'attend pas
616** Le sari vert
738* Une histoire de Chine
782** La première femme de Yuan

CARLISLE Helen Grace
513** Chair de ma chair

CARS Guy des
47** La brute
97*** Le château de la juive
125** La tricheuse
173*** L'impure
229** La corruptrice
246** La demoiselle d'Opéra
265** Les filles de joie
295** La dame du cirque
303** Cette étrange tendresse
322** La cathédrale de haine
331** L'officier sans nom
347*** Les sept femmes
361** La maudite
376** L'habitude d'amour
Sang d'Afrique :
399** I. L'Africain
400** II. L'amoureuse
Le grand monde :
447*** I. L'alliée
448*** II. La trahison

492*** La révoltée
516** Amour de ma vie
548**** Le faussaire
615**** La vipère
639**** L'entremetteuse
696**** Une certaine dame
736*** L'insolence de sa beauté
765** L'amour s'en va-t-en guerre
809** Le donneur (mars 1978)

CARS Jean des
832**** Sleeping Story (juin 1978)

CARTLAND Barbara
727** Les belles amazones
751** La naïve aventurière
758** L'irrésistible amant
783** Contrebandier de l'amour
804** Une trop jolie gouvernante (février 1978)
828** La valse des cœurs (mai 1978)

CASTILLO Michel del
105** Tanguy

CESBRON Gilbert
6** Chiens perdus sans collier
38* La tradition Fontquernie
65*** Vous verrez le ciel ouvert
131** Il est plus tard que tu ne penses
365* Ce siècle appelle au secours
379** C'est Mozart qu'on assassine
454* L'homme seul
478** On croit rêver
565* Une sentinelle attend l'aurore
634*** Je suis mal dans ta peau

CHAIX Marie
597** Les lauriers du lac de Constance

CLANCIER Georges-Emmanuel
Le pain noir :
651*** I. Le pain noir
652*** II. La fabrique du roi
653**** III. Les drapeaux de la ville
654*** IV. La dernière saison
810**** L'éternité plus un jour - 1 (mars 1978)
811**** L'éternité plus un jour - 2 (mars 1978)

CLAVEL Bernard
290* Le tonnerre de Dieu
300* Le voyage du père
309*** L'Espagnol
324* Malataverne
333** L'hercule sur la place
457* Le tambour du bief
474* Le massacre des innocents
499** L'espion aux yeux verts
522**** La maison des autres
523**** Celui qui voulait voir la mer
524**** Le cœur des vivants
525**** Les fruits de l'hiver
590** Le seigneur du fleuve
611* Victoire au Mans
658* Pirates du Rhône
742*** Le silence des armes

CLELAND John
711*** Les mémoires de Fanny Hill

CLERC Michel
750**** Bakchich

COLETTE
2* Le blé en herbe
106* L'entrave

CONSTANTINE Eddie
805**** Le propriétaire (fév. 78)

COTTE Jean-Louis
540**** Hosanna
560*** Les semailles du ciel
582** La mise à prix
726*** Colonne de fer

CRESSANGES Jeanne
409* La part du soleil

CURTIS Jean-Louis
312** La parade
320** Cygne sauvage
321** Un jeune couple
348* L'échelle de soie
366*** Les justes causes
413** Le thé sous les cyprès
514*** Les forêts de la nuit
534*** Les jeunes hommes
555** La quarantaine
586*** Le roseau pensant
624* La Chine m'inquiète
692** Un miroir le long du chemin
831** L'étage noble (juin 1978)

DAUDET Alphonse
34* Tartarin de Tarascon
414* Tartarin sur les Alpes

DAVENAT Colette
641** Deborah : Le printemps des amours - 1
642** Deborah : Le printemps des amours - 2
643** Deborah : L'amour aux cent facettes - 1

644*** Deborah : L'amour aux cent facettes - 2
645*** Deborah : Paris des passions - 1
646*** Deborah : Paris des passions - 2
647*** Deborah : Le complot d'Irlande
648**** Deborah : L'ombre de la hache

DHOTEL André
61** Le pays où l'on n'arrive jamais

DICKEY James
531** Délivrance

DOCTOROW E. L.
825*** Ragtime (mai 1978)

DOFF Neel
766*** Jours de famine et de détresse

DUCHE Jean
572*** L'histoire de France racontée à Juliette - 1
573*** L'histoire de France racontée à Juliette - 2

DUPEREY Anny
797** L'admiroir

DURRELL Gerald
593** La forêt ivre

DUSOLIER François
687**** Sphinxi

FAURE Lucie
341** L'autre personne
467** Le malheur fou
583* Mardi à l'aube
826** Un crime si juste (mai 78)

FERRIERE Jean-Pierre
818*** La femme en néon (avril 1978)

FLORIOT René
408** Les erreurs judiciaires
526** La vérité tient à un fil

FRANCE Claire
169** Les enfants qui s'aiment

FRISON-ROCHE
715** La peau de bison
775*** La vallée sans hommes

GALLO Max
506**** Le cortège des vainqueurs
564* Un pas vers la mer
662** L'oiseau des origines

GENEVOIX Maurice
76** La dernière harde

GOBINEAU Marcel
788*** Stéphanie : L'amour a quatre saisons - 1
789*** Stéphanie : L'amour a quatre saisons - 2
790*** Stéphanie : Puisque je t'aime - 1 (février 1978)
791*** Stéphanie : Puisque je t'aime - 2 (mars 1978)
792*** Stéphanie : Le prix de la liberté - 1 (avril 1978)
793*** Stéphanie : Le prix de la liberté - 2 (mai 1978)
794*** Stéphanie : Les feux du désir - 1 (juin 1978)

GODEY John
592*** Les pirates du métro

GOLON Anne et Serge
667*** Angélique, marquise des Anges - 1
668*** Angélique, marquise des Anges - 2
669*** Angélique, le chemin de Versailles - 1
670*** Angélique, le chemin de Versailles - 2
671*** Angélique et le roy - 1
672*** Angélique et le roy - 2
673*** Indomptable Angélique - 1
674*** Indomptable Angélique - 2
675*** Angélique se révolte - 1
676*** Angélique se révolte - 2
677*** Angélique et son amour - 1
678*** Angélique et son amour - 2
679*** Angélique et le Nouveau Monde - 1
680*** Angélique et le Nouveau Monde - 2
681*** La tentation d'Angélique - 1
682*** La tentation d'Angélique - 2
683*** Angélique et la Démone - 1
684*** Angélique et la Démone - 2
685**** Angélique et le complot des ombres (juin 1978)

GRADY James
709* Les trois jours du Condor

GRANDMAISON Henri de
780** Le papivore

GREENE Graham
55** L'agent secret

GREGOIRE Ménie
824**** Telle que je suis (mai 78)

GROGAN Emmett
535**** Ringolevio

GROULT Flora
518* Maxime ou la déchirure

GUARESCHI Giovanni
1** Le petit monde de don Camillo
426** Don Camillo à Moscou

HAEDRICH Marcel
536* Drame dans un miroir

HALL G. Holiday
550** L'homme de nulle part

HAWKESWORTH John
717** Maîtres et valets - 1
718** Maîtres et valets - 2
719** Maîtres et valets - 3
720** Maîtres et valets - 4

HEAVEN Constance
812*** La maison Kouraguine (mars 1978)

HEBRARD Frédérique
823** Un mari c'est un mari (mai 1978)

HILTON James
99** Les horizons perdus

HOLT Victoria
834*** La maison aux mille lanternes (juin 1978)

HURST Fanny
261*** Back Street

JONG Erica
816**** Le complexe d'Icare (avril 1978)

KATZ Robert
827** Le pont de Cassandra (mai 1978)

KIRST H.H.
386** Il n'y a plus de patrie

KONSALIK Heinz
497**** Amours sur le Don
549**** Brûlant comme le vent des steppes
578*** La passion du Dr Bergh
610** Erika Werner, chirurgienne
655*** Mourir sous les palmes
686** Aimer sous les palmes
755** Deux heures pour s'aimer
817** L'or du Zephyrus (avril 78)

KOSINSKI Jerzy
270** L'oiseau bariolé

LABORDE Jean
421** L'héritage de violence

LARTEGUY Jean
710**** Enquête sur un crucifié
737**** Les rois mendiants

LEFEVRE Françoise
697* La première habitude
776* L'or des chambres

LE PORRIER Herbert
666*** Le médecin de Cordoue
739*** La demoiselle de Chartres

LEVIN Ira
449** La couronne de cuivre

L'HOTE Jean
53** La communale
260** Confessions d'un enfant de chœur

LIPPINCOTT David
806*** Armaguedon (fév. 1978)

LOOS Anita
508* Les hommes préfèrent les blondes

LOWERY Bruce
165* La cicatrice

LUND Doris
759*** Eric

MALLET-JORIS Françoise
87*** Les mensonges
301** La chambre rouge
317** Les personnages

MANCERON Claude
587**** Le tambour de Borodino

MARKANDAYA Kamala
117** Le riz et la mousson
435** Quelque secrète fureur
503** Possession

MAURE Huguette
600** L'aventure au masculin
631** L'amour au féminin

MAURIAC François
35* L'agneau
93* Galigaï
129* Préséances

McGERR Pat
527** Bonnes à tuer

MERREL Concordia
336** Le collier brisé
394** Etrange mariage

MIQUEL André
539* Le fils interrompu

MONNIER Thyde
237** Le figuier stérile

MONTEILHET Hubert
740* Le retour des cendres

MORAVIA Alberto
390** L'attention
403** Nouvelles romaines
479** Le mépris
498** L'automate

MORRIS Edita
141* Les fleurs d'Hiroshima

MORTON Anthony
395* Le Baron est bon prince
437* Piège pour le Baron
456* Le Baron risque tout
469* Le Baron et le masque d'or
477* Le Baron riposte
494* Un solitaire pour le Baron
521* Le Baron et les œufs d'or

MOUSTIERS Pierre
384*** La mort du pantin
802* Un crime de notre temps (février 1978)

NERY Gérard
743** Julie Crèvecœur - 1
744** Julie Crèvecœur - 2
745** Julie Crèvecœur - 3
746** Julie Crèvecœur - 4
747** Julie Crèvecœur - 5
748** Julie Crèvecœur - 6

NORD Pierre
428** Provocations à Prague
481** Le canal de las Americas

PEREC Georges
259* Les choses

PERREIN Michèle
569**** Le buveur de Garonne

PEUCHMAURD Jacques
528** Le soleil de Palicorna
591** Soleil cassé

PEYREFITTE Roger
17*** Les amitiés particulières
86* Mademoiselle de Murville
107** Les ambassades
416** Notre amour
430** Les clés de Saint Pierre
438** La fin des ambassades
455** Les fils de la lumière
473* La coloquinte
487** Manouche

REID P. R.
661** Colditz

RENARD Jules
11* Poil de carotte

RENAUDIN Edmée
584* Edmée au bout de la table

RHODES Evan H.
819** Le prince de Central Park (avril 1978)

ROBBE-GRILLET Alain
546* L'année dernière à Marienbad

ROBBINS Harold
733**** L'empire des rêves
787**** Le pirate

ROSSI Jean-Baptiste
354** Les mal partis

SAGAN Françoise
461* Un peu de soleil dans l'eau froide
512* Un piano dans l'herbe
553* Des bleus à l'âme
702* Un profil perdu

SAINT-ALBAN Dominique
Noële aux Quatre Vents
441** I. Les Quatre Vents
442** II. Noële autour du monde
443** III. Les chemins de Hongrie
444** IV. Concerto pour la main gauche
445** V. L'enfant des Quatre Vents
446** VI. L'amour aux Quatre Vents
Anne, jour après jour :
635*** 1 - Anne, jour après jour
636*** 2 - Le château de la mer
699*** 3 - Les marronniers du Ranelagh
749** Les étangs de Hollande

SAINT-LAURENT Cécil
703*** La bourgeoise

SALMINEN Sally
263*** Katrina

SCHREIBER Flora Rheta
777**** Sybil

SCHWEITZER Albert
596* Souvenirs de mon enfance

SEGAL Erich
412* Love Story

SELINKO A. M.
489** J'étais une jeune fille laide

C/2 TOUTE L'HISTOIRE, par HARTMANN et HIMELFARB

En un seul volume double, de 320 pages :
Toutes les dates, de la Préhistoire à 1945;
Tous les événements politiques, militaires et culturels;
Tous les hommes ayant joué un rôle à quelque titre que ce soit.
Un système nouveau de séquences chronologiques permettant de saisir les grandes lignes de l'Histoire.

C/4 CENT PROBLEMES DE MOTS CROISES, par Paul ALEXANDRE

LE TALISMAN, de Marcel DASSAULT

3982
7 FEV. 1979